D1487046

Le vele
75

I edizione: agosto 2008
© 2008 by Ed Park
This translation published by arrangement with Random House, an imprint
of the Random House Publishing Group, a division of Random House, Inc.
In accordo con Roberto Santachiara Literary Agency
© 2008 Fazi Editore srl
Via Isonzo 42, Roma
Tutti i diritti riservati
Titolo originale: *Personal Days*
Traduzione dall'inglese di Giuseppe Marano e Marco Rossari

ISBN: 978-88-8112-951-5

www.fazieditore.it

ed-park.com
personaldaysthenovel.blogspot.com

Ed Park
Maledetti colleghi

traduzione di Giuseppe Marano
e Marco Rossari

Fazi Editore

Ai miei genitori

Well you don't get a town like this for nothing
So here's what you've got to do
You work your way to the top of the world
Then you break your life in two

<new order>

\<I\>
IMPOSSIBILE ANNULLARE

<1>

Com'era il funerale?
A prima vista sembra un ambiente a posto. Una volta ci vestivamo di tutto punto, ma quest'estate qualcosa è cambiato. Adesso finché il tempo regge portiamo pantaloni larghi, scarpe di corda, zoccoli da mare. Sotto la scrivania Pru sfoggia le infradito. Fuori fa un caldo boia, quindi ogni giorno è potenzialmente un venerdì casual. Abbiamo carta bianca per mettere T-shirt con ridicoli logo di imprese di disinfestazione, slogan pubblicitari dei primi anni Ottanta. *Provare per credere.* Ci vestiamo come se avessimo uno stipendio da fame, il che è vero per almeno la metà di noi. Il bello è capire quale. Usciamo a bere qualcosa insieme un paio di sere alla settimana, a volte tre, *per scaricare la tensione.* No, tre sono troppe. Prendiamo scrupolosamente nota di chi offre un giro e di chi fa l'indiano, aspettando che l'alcol appaia come per magia. Ormai non ci sopportiamo più, ma in compagnia di sconosciuti ci sentiamo persi. A volte uno dei ragazzi si presenta al lavoro in giacca e cravatta, tanto per mandare gli altri in paranoia. Quando capita, il custode all'ingresso ci scherza su:

Com'era il funerale? E noi ridiamo, o facciamo finta di ridere.

Testa di cavolo

In estate Testa di cavolo, ovvero il capo, ci propone di formare una squadra di softball. In realtà si chiama Russell. Lo chiamiamo Testa di cavolo perché

Russell –> Brussels –> cavolini di Bruxelles > *Testa di cavolo.*

L'identità di quello che ha inventato il soprannome resta avvolta nel mistero.

Siamo gente seria, noi.

In più ogni tanto gli spunta una ciocca di capelli a prova di pettine dalla parte posteriore sinistra del cranio, come Alfalfa delle Simpatiche Canaglie.

Jonah dice che è difficile prenderlo sul serio, perché infarcisce sempre i discorsi di *cioè* e *per esempio,* vigorosi ma intercambiabili: un segno di debolezza.

A volte quando ci vede in corridoio fa ciao con la manina. Ultimamente accenna il segno della pace. Il 65 per cento delle volte fa la parte dell'amico, ma non bisognerebbe mai dimenticare un vecchio detto: *Dagli amici mi guardi Dio che dal capo mi guardo io.*

Bastoni e carote

Il 65 per cento delle volte è una *stima approssimata,* commenterebbe Testa di cavolo. Sta sempre lì a scomporre tutto in percentuali precise. Prima sembrava quasi una persona normale quando parlava, adesso ti chiede se siamo *sulla stessa lunghezza d'onda* e dice che il problema è una *bazzecola,* tutto in una frase sola.

Non è tanto la frequenza di queste espressioni, ma l'uso fatto a casaccio. La settimana scorsa ha invitato Laars a *uscire dagli schemi*. Stavano parlando di quale formato andasse meglio per le cartelline bristol. Poi ha aggiunto: *Tienimi up to date e la prossima settimana ci aggiorniamo.*

Pru si è chiesta se Testa di cavolo (che va orgoglioso di essere canadese) stia seguendo un corso di Snervante Inglese Aziendale. Il nuovo tormentone è una variazione sul tema: *Vi ho dato la carota, ma devo farvi vedere anche il bastone.* Questo mese l'ha già rifilato a Pru, Jack II e Laars.

Ce lo facesse vedere una buona volta, 'sto bastone, si lamenta Pru con Lizzie.

Testa di cavolo si rende conto che la minaccia suona un po' sadomaso, e fa capire che se n'è accorto, ma al tempo stesso vuole dare a intendere che non lo dice in quel senso. L'opinione di Jonah è che lo dica proprio in quel senso, invece, altrimenti userebbe un'altra espressione.

Il torneo dei record

Il softball è la carota per risollevare il morale: facile che Testa di cavolo l'abbia letto su un manuale o imparato in quel seminario che frequenta ogni marzo. Il morale si è abbassato da quando sono iniziati i Licenziamenti lo scorso anno. Pru dice che *morale* è una di quelle parole che si usano soltanto in assenza del morale. Se vedi una bella fighetta mica dici: *Guarda che giovincella.* Lo usi soltanto per descrivere quella carampana di tua zia: *Ormai non è più una giovincella.*

Pru non ha tutti i torti. In genere di lei ci fidiamo, con quelle sopracciglia seriose e l'immancabile scettico *mmm*. Ha finito addirittura l'università. Mi sembra che fosse storia dell'arte, ma forse era storia e basta, senz'arte né parte.

Decidiamo di fare un tentativo col softball. Siamo in otto. In ordine decrescente d'altezza: Laars, Jack II, Lizzie, Jonah, Jenny, Crease, Pru e Jill. Manca il nono, ma Jack II incontra per caso Otto, che una volta militava nel reparto informatico. Adesso lavora in centro e pare abbia fin troppo tempo libero.

Sarebbe bello ringiovanire i nostri corpi scandalosamente flaccidi. Stravaccati alla scrivania, mandiamo giù troppe ciambelle per troppe mattine di fila. Sembriamo il dentifricio appena spremuto dal tubetto e ancora non rappreso del tutto. Tutti soffrono di scoliosi, tranne Lizzie, il sogno di ogni fabbricante di corsetti.

Laars e Jenny sono gli unici che hanno già giocato a softball: Laars nel posto dove lavorava prima, Jenny a sette anni. Il concetto è: colpisci forte la palla, ma senza alzarla a campanile, sennò l'acchiappano. Poi corri sul quadrato, o per essere precisi sul diamante, cercando di mettere piede sulle basi senza farti toccare da chi ha la palla in mano. Ci sono anche altre regole, che però non afferriamo del tutto.

Lizzie ha qualche difficoltà a cogliere l'aspetto carotesco del gioco.

Compriamo i guantoni, l'olio da guanto, le scarpette con i tacchetti. Laars si svena per due mazze d'alluminio e due di legno. Ne prende anche una al titanio, un ibrido che sembra una testata nucleare. Lo vediamo fare flessioni dalle parti del magazzino, contandole una a una sotto voce.

Abbiamo casacche e cappellini con stampata sopra la nostra mascotte: una fatina tettona che fa l'occhiolino con una stecca da biliardo in mano. L'ha trovata Jill su un sito di clip-art finlandese.

Terminiamo la stagione prematuramente dopo aver perso la prima partita 17-0, pare che sia un record. Il morale, che era già a terra, viene spazzato via del tutto. Otto non si fa più vedere.

Restituiamo l'attrezzatura, tranne le casacche e i cappellini. L'autunno è alle porte, per le casacche fa troppo fresco, ma qualche volta i berretti li mettiamo ancora.

Il culto di Maxine

Maxine non è mai entrata ufficialmente nella squadra di softball, ma ha comprato una casacca da Jill e ha tagliato il colletto per creare una vertiginosa scollatura a v. Qualche volta la mette ancora, anche se fa un freddo polare.

Maxine ci sovrasta anche quando ha i tacchi medi. Ci fa sentire un branco di hobbit, con i denti ingialliti e vestiti da straccioni. Con la sola eccezione di Laars, abbiamo un fisico inesistente. Siamo discretamente orgogliosi del taglio di capelli giovanile e degli occhiali rettangolari (costati appunto un occhio), ma questo è quanto.

Maxine ha un odore squisito ed è la nostra ossessione. *Questa storia deve finire,* sbotta Lizzie. Crease la definisce *violentemente ipnotica* e riesce a malapena a starle nel raggio di venti metri. A volte si fa il segno della croce dopo che è passata.

Che capelli!, scrive Jack II via mail, di punto in bianco. E tutti capiscono a chi sta alludendo.

Prendere l'ascensore da soli con Maxine può essere un'esperienza profondamente disturbante. Meglio evitare. A Crease è capitato diverse volte, di recente: mentre aspettava l'ascensore a fine giornata ha percepito il caratteristico rumore di tacchi che preannuncia l'arrivo di Maxine: tempo zero se l'è data a gambe. In situazioni analoghe, pare che Jenny cominci a borbottare fra sé e sé come se avesse dimenticato qualcosa sulla scrivania. A Jenny piacciono gli uomini, ma in presenza di Maxine perfino lei vacilla.

A detta di Laars, Maxine profuma come il fiore delicato di un raro frutto ibrido che si trova soltanto sulla bancarella di un mercato a Kuala Lumpur.

Il peggio è quando giri l'angolo, la vedi e vorresti rivolgerle un normale *Ciao*, ma appena apri bocca ti esce soltanto un flebile gracidio, e a volte neppure quello. Il primo a notare il fenomeno è stato Jules, che è non più tra noi.

Ce n'è di carne al fuoco. Non si tratta solo degli abiti che porta, o che non porta, o di quegli splendidi capelli, ma di una vera e propria filosofia di vita. Nel suo look e nell'aspetto iperpatinato, nella risatina che la colloca sempre al centro dell'attenzione e nelle affermazioni al limite del demenziale, si percepisce la stoffa della miss. Ma Pru ha sostenuto, nel dibattito epocale *Pru* contro *Jonah*, che non solo Maxine non è stupida, ma che è addirittura più sveglia di noi. Non conosciamo il suo CV, ma poco importa: ha quella magia, quella *verve*, mai offuscata da un'ombra di insicurezza.

Maxine viaggia su un binario diverso. È entrata in ufficio ai piani alti e rimarrà irraggiungibile. Quando arriveremo alla sua posizione attuale – ammesso che nel frattempo non siamo scoppiati o scappati – lei sarà ancora più in alto, adagiata su una nuvola di illimitata fiducia in se stessa e di fragranze ancora più inebrianti. Si potrebbe illustrare perfettamente tutto questo con una raffigurazione medievale dell'aldilà.

Lizzie racconta palle

Empiricamente parlando, Maxine non è poi 'sto granché, sostiene Lizzie, la più gentile del gruppo. Nella nostra combriccola questo passa sotto il nome di dissenso. *Non capisco proprio cosa ci trovate.*

Ma col tempo anche Lizzie comincia a subirne il fascino, anche se in modo diverso. Per lei l'aspetto più interessante è la venerazione che circonda Maxine, piuttosto che le sue effettive qualità. Le ricorda di quando eravamo tutti ossessionati da quel reality show in cui alcuni tipi ambiziosi della nostra età si pugnalavano alle spalle e andavano a letto l'uno con l'altro per diventare chef di un esclusivo ristorante francese. E poi si scopriva che il ristorante manco esisteva.

Non c'è limite all'ipocrisia

L'ultima e-mail di Maxine ha come oggetto *Parliamo di SESSO.*

Oh no, piagnucola Pru, temendo l'ennesimo seminario sulle molestie sessuali. Mai fatto uno, prima che Maxine arrivasse in azienda. Producono l'effetto opposto di quello voluto, visto che ci fanno sentire dei maniaci sessuali, ma perlomeno sono meglio dei seminari sull'igiene mentale che organizzava Testa di cavolo. *Quelli sì* che erano deprimenti, quasi un'istigazione alla violenza, tanto che una volta Laars ha sferrato un cazzotto contro il muro della bacheca così forte che la mano non è più tornata come prima. Dà la colpa a questo infortunio per giustificare la sua mediocre prestazione a softball.

Oggi Maxine lancia occhiate inequivocabili al relatore del seminario, un avvocato di nome George. Maxine porta una camicetta trasparente, che per noi è *quella camicetta*. Pru sa perfino di che marca è e chissà cos'altro.

George ha l'aria bella fresca di uno appena tornato da una vacanza e pronto a spararsene un'altra. Vederlo così rilassato è snervante. In cuor nostro, tutti ci chiediamo perché non abbiamo fatto giurisprudenza e se per caso non sia troppo tardi.

È troppo tardi.

Il succo del seminario è che non si dovrebbe mai uscire con un collega, in nessun caso. Bisogna fare molta attenzione poi a come ci si rivolge all'altro sesso (a dire il vero, anche al proprio). Molti discorsi apparentemente innocui – frasi, parole e addirittura singole *lettere* – possono essere interpretati come molestie. Mai fare commenti sull'abbigliamento. E per non correre rischi, evitare gli abiti troppo succinti.

Aggrottiamo la fronte e ci voltiamo tutti verso Maxine, col suo toppino a rete color carne. Non c'è limite all'ipocrisia.

Jonah domanda: *Ma non abbiamo bisogno di eros per vendere prodotti?*, con quel tono affettato e pensieroso che assume talvolta, una pausa ogni due parole.

Che dire? In effetti è una bella domanda. Nessuno conosce la risposta. Si raddrizza sulla sedia e si gratta il mento in preda all'agitazione. La punta delle orecchie gli diventa paonazza per la rabbia. Avrebbe dovuto fare il professore di filosofia o il sindacalista di quei poveri cristi che consegnano giornali a domicilio. Dice che in base alla logica del seminario, l'oggetto dell'e-mail di Maxine costituisce una sorta di molestia sessuale. Si stravacca di nuovo: il caso è chiuso!

Nessuno di noi aggiunge altro, un po' perché abbiamo paura che Testa di cavolo prenda nota e ci licenzi, ma soprattutto perché cominciamo ad avere l'acquolina e non abbiamo più voglia di discutere. Di solito in questi meeting ci sono panini e caffè a iosa – Testa di cavolo li definirebbe una *carota* – e a volte perfino le carote, quelle vere. Oggi, nisba.

Lizzie dà un colpetto di gomito a Pru. Testa di cavolo è nell'angolo, gli occhi socchiusi, concentratissimo, il mento affondato nel petto. Le osservazioni di Jonah l'hanno fatto sprofondare nei suoi pensieri, talmente profondi che si è addormentato.

Il mondo esterno
Mentre usciamo dalla sala in fila indiana, l'avvocato chiede a Maxine: *Pranzetto insieme?*

Proprio così.

Due parole.

Lei non vedeva l'ora. Restiamo a bocca aperta e Crease finge di spararsi in bocca.

Lizzie va a fare scorta di antistaminici e Red Bull. *Qualcuno vuole qualcosa dal mondo esterno?*, domanda.

Lungo la strada, becca George e Maxine che s'infilano nella BMW argentata dell'avvocato.

Maxine non si fa più rivedere per il resto della giornata. Ci siamo messi di punta a sorvegliare la situazione.

Laars bofonchia qualcosa contro le BMW, la tecnologia tedesca e la professione legale nel suo insieme. Lui quando può viene al lavoro in bici. Oggi ha una maglietta a maniche lunghe scolorita con la pubblicità di una piscina del New Jersey, le lettere bianche quasi illeggibili (un affarone al mercato delle pulci). Ma cosa ci vedrà mai Maxine in George? Pru fa notare che George aveva una camicia pulita, di quelle con i bottoni.

Noi/loro

Maxine è una di noi o una di loro? All'inizio eravamo convinti che fosse una segretaria, ma dopo qualche mese abbiamo cominciato a ricevere comunicazioni interne firmate da lei, alcune con un chiaro sottinteso: datti da fare o te ne vai.

Forse Maxine è addirittura sopra Testa di cavolo. L'argomento merita una disamina specifica e scrupolosa. Possibile che Testa di cavolo dipenda da *lei*?

Pru ci spiega che Testa di cavolo riversa su di *noi* la frustrazione di lavorare per una creatura quasi mitologica come Maxine. Sbava per lei e ce lo mette in culo a noi, più o meno. Ha paura di lei e vuole che noi abbiamo paura di *lui*.

Mentre parla, Pru traccia uno schema su un foglio, con varie freccette multidirezionali e la parola *paura* a caratteri cubitali.

Il giochetto del cc

Nonostante le raccomandazioni di George, a volte Maxine ci fa i complimenti per le acconciature o per altri dettagli del nostro look trasandato. Il giorno dopo, o addirittura nel corso di quella stessa giornata, invia una mail tutta in maiuscolo chiedendo per quale motivo un certo modulo non è sulla sua scrivania. Scatta una risposta pepata e a stento tratteniamo un grido di terrore:

Ehi Maxine!
Veramente il documento che cerchi ti è stato lasciato nella vaschetta della corrispondenza ieri, verso l'ora di pranzo. L'ho anche inviato via mail a te e a Russell. Fammi sapere se non riesci a trovarlo!
Grazie!
Laars

P.S. Te lo allego di nuovo in Word, non si sa mai...

Ci sono parecchie cose inquietanti in questo messaggio: il finto-vago *verso l'ora di pranzo*, il *Grazie* senza senso, il post scriptum quasi buttato lì. I punti esclamativi hanno qualcosa di psicotico. Laars fa il giochetto del CC, come lo chiama lui, e invia l'e-mail anche a Testa di cavolo. Per dimostrare la propria competenza o la propria innocenza è sempre meglio coinvolgere un testimone esterno. D'altra parte, potrebbe anche sembrare una lamentela.

Maxine non risponde mai. Testa di cavolo non troverà il tempo di leggere la mail di Laars per una settimana. Non gli piace occuparsi di queste sciocchezze, ma in fondo si potrebbe sostenere che non gli piace occuparsi neanche delle cose serie.

Studierà la mail per qualche secondo, aggrottando la fronte, e poi la cancellerà.

Crisi di gabinetto

Malgrado lo stile manageriale svampito di Maxine e la sua apparente incompetenza, non possiamo fare a meno di subirne il fascino. Ci rendiamo conto che l'effetto è deleterio. L'incompetenza viene scambiata per sfacciataggine, e quei metodi confusionari per una calcolata strategia di attacco. Più sbaglia, meno sbaglia.

Lizzie non riesce nemmeno ad andare al bagno se dentro c'è Maxine. Quando la trova al lavandino, si chiude in un gabinetto e rimane seduta in penoso silenzio, a contare le gocce che cadono dal rubinetto.

<2>

Jackmassaggio!

La routine è tutto. Da qualche tempo Jack II ha preso l'abitudine di fare capolino negli scomparti tra le due e le tre ogni santo pomeriggio e chiedere: *Chi vuole un massaggino alla schiena?* Anche se non alzi la mano, ti abbranca le spalle e via a impastare. All'inizio era piacevole, poi magari divertente, ma ormai la situazione è sfuggita di mano. La sua tecnica antistress è diventata stressante. Appena sentiamo quella vocina scattiamo sul chivalà per evitare che ci prenda, letteralmente, alle spalle.

Jackmassaggio!, sibila Pru per avvertire quelli intorno.

Oggi, suscitando grande scalpore, Lizzie accetta un Jackmassaggio. Dice che le è successa una cosa terribile: ha digitato sulla calcolatrice l'importo netto del suo stipendio e l'ha moltiplicato per 26. Il totale era talmente basso che credeva di aver dimenticato una cifra, forse aveva moltiplicato per 6. *Devo economizzare*, ammette, *ma è quello che faccio da sempre.*

E le scarpine nuove?, insinua Pru.

Lizzie dovrebbe cambiare lavoro, ma per adesso si

accontenta di un Jackmassaggio. *Troppa tensione in questa stanza*, dice Jack II, scrocchiandosi le nocche.

Il Primo Jack

Lo chiamiamo Jack II perché c'è stato un altro Jack prima di lui, ora noto come il Primo Jack. L'hanno spedito a casa un anno fa durante i Grandi Licenziamenti, e nessuno se l'è più filato. Questo soprannome-a-posteriori dà l'idea che fosse un mattacchione, sempre pronto a scherzare e fare battute. Invece era una barba e certe volte un vero stronzo.

Una volta lasciato l'ufficio ci si perde di vista. Eppure col passare delle settimane si creano legami profondi, senza neanche rendersene conto. Tutto quel tempo insieme, a smadonnare contro il fax, a fare la pausa caffè. Prendere l'ascensore. Lamentarsi per la velocità dell'ascensore. Ripetere all'infinito la stessa battuta, a ogni piano: *Si effettuano fermate intermedie.*

Passi più tempo con i colleghi che con i cosiddetti amici, vedi più loro che la tua dolce metà, o la tua mogliettina (se sei sposato). Al momento siamo tutti soli, ma corre voce che Jenny sia sul punto di convolare.

Secondo Lizzie, Crease una volta era sposato. *Ha la faccia di uno che era sposato*, chiosa. *Lo sguardo assente.*

Ci conosciamo bene, ma fino a un certo punto.

Mitologia spicciola

Da qualche tempo Laars ha un'aria sbattuta: i capelli gli si appiccicano al cranio come alghe. Si accascia sempre più spesso sul divanetto bordeaux (ispido, ma comodissimo) che ha ereditato da Jason. *Ho solo bisogno di chiudere un po' gli occhi.* Confessa di passare le serate in casa a sorseggiare scotch davanti al computer, mentre cerca il suo nome su Google fino a tarda notte. Sembra incredibile, ma c'è gente che ha il suo stesso nome. Anzi, più di uno. Si è ritrovato in forum dedicati all'escursionismo sugli Appalachi, nei siti per fanatici di vecchie macchine da scrivere e in una newsletter gestita dagli ex alunni di una università dell'Alaska. *Li devo annientare*, dice.

Il peggio è quando comincia a cercare ex fidanzate, vecchie cotte del liceo, avventure consumate da sbronzo durante il suo semestre all'estero. Sono più di quante immagineresti, più di quante ne immaginerebbe *lui*.

È carino, ma non quel tipo *di carino*, dice Pru. Secondo Lizzie, invece, quei capelli tipo alga gli donano.

Turbato dagli innumerevoli flirt del passato, Laars annuncia pubblicamente voto di castità. Sarà autosuggestione, ma per un attimo ci sembra di scorgere un velo di tristezza negli occhi di Lizzie.

Ma Laars proprio non riesce a chiuderla con la caccia alle ex. Sfrutta sistemi di ricerca avanzata per stanare i loro nomi da signorina o cose simili. Ma c'è gente che è sparita sul serio, svanita nel nulla, e la stringa di testo inserita nel motore di ricerca restituisce i link più inutili e grotteschi: squadre di calcio di un college del Midwest, studenti classificati secondi alla fiera del piccolo chimico, alberi genealogici che affondano le radici nel diciottesimo secolo.

Ormai anche al lavoro Laars è Google-dipendente, tra una lagna per il temperamatite e una per l'aria condizionata. Ha trovato parecchio materiale scottante sull'ex ragazza spagnola di suo cugino. Sicuramente avrà passato al Google-setaccio tutto l'ufficio, scoprendo qualche scheletro nell'armadio alla trentacinquesima schermata di risultati.

Secondo Jack II, quando senti formicolare le dita significa che qualcuno ti sta cercando su Google. Prendiamo subito per buona questa mitologia spicciola.

Amicizia

Una volta le mail di Jonah si chiudevano con *Cordialmente*, poi con *Cordiali saluti*, e infine con *Grazie*. Trova da ridire sul *Saluti* di Lizzie, per non parlare del *Un caro saluto* di Jenny. Dice che è importante dare il giusto tono alla chiusura di una lettera. Per un certo periodo ha usato *La ringrazio anticipatamente per la cortese collaborazione*. Ultimamente tutte le mail finiscono così: *Con amicizia, Jonah*.

E se non sono tuoi amici?, domanda Pru.

<3>

I californiani!

Una volta la nostra azienda, fondata molto tempo fa da uomini baffuti, apparteneva soltanto a se stessa. Dopo vari decenni, con sua grande sorpresa, si è ritrovata ad essere la ventosa orientale di una piovra con sede a Omaha. Alla fine i tentacoli si sono staccati o strangolati a vicenda: alcuni hanno unito le forze, altri si sono estinti del tutto.

Nel corso del tempo il nome si è accorciato ed è cambiato (tutte le variazioni sono documentate da pile di carta intestata chiusa nell'armadio accanto all'ufficio di Jonah). La carta da lettere sembra il calco di un fossile. Sillabe desaparecide. "E" commerciali prima aggiunte e poi tolte. A metà degli anni Novanta tutto è stato accorpato in una sigla di cinque iniziali, due delle quali in realtà non significano niente. La parola senza vocali che ne risulta è quasi impronunciabile, anche per i dipendenti di vecchia data. Si pronuncia ogni volta in modo diverso. Qualità che le conferisce un'inquietante aura di un'epoca pre-verbale.

Ultimamente gira voce che certi californiani vorrebbero trasformarci nel *loro* avamposto sulla East

Coast. La congettura si basa su un sibillino trafiletto di tre righe apparso il mese scorso in fondo alla quinta pagina dell'inserto economico del «Times».

Pensare positivo, ci ripetiamo. Non c'è motivo di credere che il nuovo boss sarà peggio di questo. Ma quando mai le cose sono migliorate?

Sappiamo che i Grandi Licenziamenti erano solo un assaggio e, come morbosi climatologi che seguono la progressione delle trombe d'aria, facciamo già previsioni sulla seconda ondata. Se accade qualcosa di infausto – un promemoria sgarbato, il distributore di Coca vuoto per due giorni di fila – lo interpretiamo come un presagio sull'imminente arrivo dei nuovi proprietari.

In questi frangenti Pru si diverte a strillare: *i californiani!*

Parola di Jack II: per loro la cosa migliore sarebbe arrivare, fare piazza pulita e insediare i propri uomini. Le nostre probabilità di sopravvivenza sono pressoché inesistenti. *La loro mentalità è completamente diversa,* dice. *Ne saprò qualcosa, no?* Dopo il college ha vissuto a San Diego per quasi un anno, provando a fare lo scrittore comico, anche se lui non è particolarmente buffo e quello che scrive non fa affatto ridere.

Voi siete qui

Il nostro ufficio si trova in quella che dev'essere la strada meno popolata di Manhattan, una terra di nessuno che dista quanto basta da due quartieri alla moda per non far parte di nessuno dei due. Una volta qui, il vento non ne esce più. Al tramonto, i giornali spiegazzati strisciano lungo il marciapiede come granchi giganti. Buste di plastica avanzano come cespugli trasportati dal vento. A volte sembra di stare ai confini del mondo.

Occupiamo i tre piani centrali di un palazzo a nove piani, al caotico incrocio di due pseudo-viali che si fondono senza una chiara segnaletica. A complicare ulteriormente le cose contribuisce la quantità di strade intitolate a gente mai sentita prima. Rabbi S. Blankman Street? Mama O'Sullivan Road? Chi erano queste pittoresche figure celebri appena l'altroieri? I tassisti alzano le mani e meditano di restituire la licenza.

Lo Starbucks in fondo alla via, in un angolo infelice tra un bar e un ferramenta sbarrati con le assi, sembra un bordello. Noi lo chiamiamo lo Starbucks Sfigato per il sax sfiatato in sottofondo e la penombra incombente, per non parlare di certi tragici cocktail inventati da loro, come il Pimm's Pum Pam.

Anche lo Starbucks Figo, due isolati più in là nella direzione opposta, sembra una casa di malaffare, ma almeno la ventilazione funziona meglio e ti danno in omaggio una coppetta di pasticcini.

Siamo a cinque minuti da due fermate della metro, ma in una posizione così defilata che spiegare a qualcuno come arrivare qui è un'impresa: *Andate a sinistra e poi tagliate per il secondo parcheggio, attenzione: non quello dove c'è la scritta PARK.*

Per semplificare le cose, diamo appuntamento all'edicola davanti alla stazione della metro a tre isolati di distanza. Per prima cosa chiediamo: *Come la riconosco?* Noi invece ci descriviamo così: *Occhiali, camicia scura.* Potremmo essere chiunque.

Tranche de vie

Lo Starbucks Sfigato è il posto dove Jenny incontra il suo *life coach* ogni giovedì alle 4. Pensa che non lo sappiamo, e invece lo sappiamo.

Laars si chiede che differenza c'è tra un analista e un *life coach*.

Un life coach non ha uno studio e non è riconosciuto, spiega Lizzie.

Da qualche giorno Lizzie è un po' sfasata, si accascia sulla scrivania, tamburella le gambe su e giù come un martello pneumatico. Sta cercando un nuovo analista. Prima ne vedeva uno dall'altra parte della città. Era bravino, ma il tragitto per andare da lui era traumatico. Arrivava sempre tardi e perdevano metà del tempo a discutere i motivi del ritardo.

Il vero motivo per cui ha smesso di andarci, però, è che la pizzeria accanto allo studio ha aumentato i prezzi di un quarto di dollaro. Il suo analista usava la pizza come barometro dell'inflazione e fissava la parcella moltiplicando per cento il prezzo di un trancio di pizza. Ormai era arrivato a due dollari, olive escluse.

È così che Jenny capisce che il suo *life coach* per stabilire la parcella usa il prezzo delle ciambelle.

Il grand tour

Ogni tanto uno di noi riceve visite. Se è la prima volta che il visitatore mette piede nell'edificio, gli chiediamo: *Vuole fare il grand tour?*, manco fosse il nostro nuovo appartamento. A dire il vero, per chi viene a trovarci è come se fosse sempre la prima volta. Se possono, evitano di tornare (probabilmente perché gli è capitato di sentire uno tipo Laars che urlava *Oddio, non potete immaginare quanto è grosso 'sto scarafaggio!*).

Dopo essersi sorbito o avere ignorato il sermone della guardia giurata in crisi mistica, salendo in ascensore senza fretta, l'ignaro visitatore si ritrova catapultato al centro di un labirinto. Senza una guida affidabile, il lui o la lei di turno rischia di fluttuare a lungo nel paesaggio lunare dell'ufficio prima di riuscire a scorgere una finestra. Lizzie ricorda ancora il primo giorno di lavoro: appena messo piede in questo ambiente a prova di feng shui è andata dritta al cesso ed è scoppiata a piangere.

La maggior parte di noi passa la giornata alla scrivania, in uno dei due arcipelaghi raggruppati in cubicoli. Ci sono scrivanie vacanti da più di un anno, quindi sparpagliamo le nostre cose di qua e di là, invadiamo le postazioni vicine, appendiamo la borsa da una parte e la giacca dall'altra.

Qualcuno ha addirittura una stanzetta tutta sua. Anche se a questo punto potremmo rimediarne una a testa, vista la moria del personale, a ogni richiesta di questo tipo Testa di cavolo va in fibrillazione. *Ma ti pare il caso, in un momento simile?* Meglio non rischiare. Alcune di queste stanze affacciano sul retro di un altro palazzo di uffici. Se ci capita di incrociare lo sguardo con chi lavora lì facciamo un cenno di saluto e loro rispondono. Oltre non si va.

Jonah ha una stanza con la *porta*, ma senza finestra. Crease ha due scrivanie, ai lati opposti del piano.

Il college della corsa non competitiva

Si appendono troppe cose in bacheca. Bizzarri ritagli di giornale, annunci di mostre collettive in cui amici di amici espongono le loro turbe artistiche, cartoline ironiche e piccanti, oppure imperscrutabili. *Wish you were beer.*

Laars mantiene in ordine la baraonda sul pannello di sughero e concede una settimana a qualsiasi cosa, prima di staccarla. Programmi, avvisi, responsabilità: tutte cose che gravano sul suo spirito. Quando ha iniziato da noi – sei mesi, nove mesi, un anno fa? – sprizzava energia da ogni poro, ma siamo riusciti a spremergliela via tutta.

Qualche volta ti dà l'aria di uno che ha studiato in una prestigiosa università dell'Ivy League, ma in realtà ha frequentato un buco di college con indirizzo umanistico chiamato Aorta o qualcosa del genere. Nessuno di noi l'ha mai sentita nominare, questa università sul Pacifico dove non ci sono classi, né promozioni né bocciature. E che pone l'accento sulle emozioni, piuttosto che sul rendimento. Sul sito ufficiale c'è la foto di un tipo con la gommina della matita appoggiata alle labbra, due ragazze che corrono con aria non competitiva – una indossa un paio di jeans – su una pista coperta di erbacce, un ragazzo bianco con acconciatura afro che legge sotto un albero.

Sindrome da scrivania multipla

Sono sceso sotto il minuto, annuncia Crease, e come spesso accade quando parla, ci mettiamo un po' prima di capire a cosa si riferisce. *Quarantasette secondi.* Il tempo per spostarsi da una scrivania all'altra. In cuor suo, è convinto che tutti pensino sempre a lui, che si preoccupino per le sue minuzie.

L'anno scorso Jason è stato defenestrato a metà di un progetto. Non se l'aspettava nessuno. Hanno detto a Crease di prendere il timone, anche se non faceva parte dello stesso team – *A te la palla*, per dirla con Testa di cavolo – ma nessuno gli ha mai spiegato bene cosa doveva fare. Gli toccava scoprirlo volando a vista. *Battesimo del fuoco*, come ha detto Testa di cavolo, e poi anche Crease.

Non avendo tempo di spostare sulla sua scrivania tutti i faldoni e gli schedari meticolosamente organizzati di Jason, Crease faceva la spola da una parte all'altra dell'ufficio, svolgendo il lavoro di Jason fino alle 14 e dedicandosi al suo finché non staccava, alle 19, alle 20 o alle 21.

Finito il progetto ha cominciato a traghettare le sue cose dalla scrivania originaria a quella di Jason (stesso modello, anche se i cassetti scorrono meglio). Jason aveva dei Post-it giapponesi coloratissimi e superfichi, fatti a semicerchio, che aveva preso in un viaggio. Crease li adorava ma li usava con parsimonia perché una volta finiti, tanti saluti.

Passato l'entusiasmo iniziale, Crease ha scoperto di aver accumulato più documenti di quanti ne potesse spostare, e per determinate pratiche si è ritrovato a fare avanti e indietro con la postazione originale. Adesso soffre di schizofrenia informatica e si barcamena continuamente tra una scrivania e l'altra. Su ogni scrivania c'è un computer. A uno accede con l'account di Jason, all'altro con il suo. La spola è diventata la sua principale forma di esercizio fisico. In più, è convinto che lo sdoppiamento sia una buona strategia di sopravvivenza: se tentano di licenziarlo quando non è alla sua scrivania, potrebbero cambiare idea prima di trovarlo all'altra.

<4>

Rilassarsi è cosa buona e giusta

Qualche tempo fa, Testa di cavolo ha distribuito dei moduli di autovalutazione e ha detto: *Aiutatemi ad aiutarvi*. Dovevamo essere più sinceri possibile. Le valutazioni sarebbero rimaste anonime. Alcuni di noi (vale a dire tutti) non li hanno presi sul serio e hanno scritto cose tipo *Mi piace il gelato e il sesso non protetto*, con una grafia da squilibrati. In quel periodo Testa di cavolo conservava ancora un briciolo d'umorismo. Jules, che era ancora fra noi, ha risposto interamente in spagnolo.

Credevamo che Testa di cavolo avesse gettato la spugna, ma oggi c'è un altro round. Ci consegna una matitina e tre fogli a testa. Stavolta vuole che scriviamo il nostro nome in cima al foglio. Maxine si aggira lungo il perimetro della sala riunioni con l'aria da professoressa severa ma sexy, come ci immaginiamo le professoresse californiane.

Dobbiamo apporre un numero da 1 a 6 a ogni frase, a seconda della forza delle nostre opinioni. Le affermazioni hanno un tono vagamente nordcoreano, privo di sfumature ma intenso.

Sono contento del modo in cui vengo trattato.

Al termine di una giornata di duro lavoro, rilassarsi è cosa buona e giusta.

Jonah è convinto che esista una legge contro questa specie di interrogatorio. Rispondiamo tutti pensando a quello che vorranno sentirsi rispondere i californiani, tranne Jenny, che ha capito male le istruzioni di Maxine e credeva che 1 stesse per Decisamente d'accordo.

Credo che questo lavoro mi riservi brillanti opportunità.

Non è cosa buona e giusta

La seduta di autovalutazione si conclude con un componimento scritto. Maxine ci incoraggia a essere *creativi*.

L'ondata di panico si trasforma in una vera e propria crisi spirituale. Vorremmo tutti uscire da lì ma nessuno vuole scappare per primo. Tranne Jill, alla fine restiamo tutti lì la bellezza di un'ora e mezza a farci un esame di coscienza, partorendo testi epici innervati di speranze deluse e velenoso cinismo. Non ci viene in mente che è una pessima idea, finché non posiamo le matite, con le dita indolenzite per avere usato un arnese così antiquato.

Jill lascia il foglio in bianco e se la dà a gambe per prima.

Forse era un 8

Un mese fa Maxine ci ha spedito via mail dei grafici astrusi che nessuno è stato in grado di decifrare. Le parole erano criptiche: *Delocalizzazione, Mission,*

Orientamento. Erano informazioni destinate a noi? Ha usato cinque colori diversi: un arcobaleno strategicamente angosciante. Ha usato font mai visti prima, talmente pesanti che la maggior parte dei computer si sono impallati.

La nostra ultima teoria è che Maxine sia una consulente in incognito e stia cercando di aumentare i profitti del 20 per cento prima che l'azienda venga svenduta ai californiani. La tesi è suffragata dal fatto che Laars ha visto un grafico a torta nell'ufficio di Testa di cavolo: sopra uno spicchio verde, c'era scritto 20. Stiamo cercando di stabilire se questo significa che Maxine vuole espandere al 20 per cento il margine di profitto, oppure che il margine attuale dovrebbe aumentare del 20 per cento.

Alcuni di noi non sono una cima in matematica. (Magari ci hanno assunti *proprio per questo*?).

Va detto però che più tardi Laars ci ripensa, e forse il 2 era un 3. Non ha visto bene. *Forse era un 8?*

La parte meno spassosa della nostra teoria su Maxine si basa su una conversazione che Pru ha origliato involontariamente: Maxine vuole defenestrare tre di noi entro fine anno, o forse addirittura entro fine mese. Pru è rimasta pietrificata davanti all'ufficio di Testa di cavolo per un minuto intero, ad ascoltare Maxine che parlava male di noi.

Per quanto riguarda l'aspetto umano della vicenda, Jenny riferisce di aver visto Maxine con l'avvocato delle molestie sessuali, George: facevano jogging nel parco e c'era qualcosa di lussurioso nella falcata.

Assistenza psicologica

Jenny dice di aver sentito Testa di cavolo che singhiozzava, con la porta dell'ufficio socchiusa. Jonah l'ha accusata di voler umanizzare il nemico.

Forse rideva, dice Laars. Ma sappiamo tutti che la risata di Testa di cavolo non assomiglia a un pianto. Ricorda piuttosto un ululato.

Questioni di sicurezza

Crease è convinto che tutti vogliano rubargli i suoi Post-it giapponesi a tiratura limitata, quei foglietti adesivi color magenta, verde oliva e mandarino che ha ereditato da Jason. È vero, sono belli. Ma mica siamo ladri. D'altra parte, perché dovrebbe tenerseli tutti *lui*? Con Jason non erano nemmeno amici. I cassetti di Crease non si possono chiudere a chiave e lui ha la sensazione che la scorta di Post-it sia in pericolo. A volte quando esce in pausa pranzo se li porta nello zaino.

<5>

Perché

Ogni volta che fiutiamo aria di defenestramento, cioè sempre, ciascuno di noi pensa: *Non toccherà a me, perché*_____.

Perché ho *ancora troppo lavoro da smaltire*.

Perché *mi sfruttano già a morte*.

Perché, dai, quanto potrebbero risparmiare sbarazzandosi di me, rispetto agli incalcolabili profitti guadagnati grazie al mio sgobbo / al mio sudato know how?

Scherzo ma dico sul serio.

Realisticamente, non *esiste* che sia io.

E invece, all'improvviso, sei tu.

Volare basso

Occhio ai complimenti. Non sempre è un buon segno che le quotazioni salgano. Meglio volare basso. Se le quotazioni di qualcuno aumentano, per un paio di settimane crepano tutti d'invidia. Poi quella persona viene licenziata in tronco, oppure viene talmente umiliata che non può far altro che andarsene.

È successo al Primo Jack, con quella sua cocciuta

etica del lavoro. È successo a Jason, con quel suo complesso ma elegante sistema di annotazioni sui Post-it. È successo a Jules.

Jonah pensa che l'elogio preliminare da parte di Testa di cavolo sia inconscio, come l'espressione che tradisce il baro al poker.

Chi ci lascia manda qualche mail di commiato e noi dimentichiamo sempre di rispondere.

Avanzo di carriera

Avete notato che i nomi dei defenestrati cominciano tutti con la J?, scrive Pru.

Jonah dovrebbe già cominciare a sudare freddo, allora. Idem per Jack II. Jenny invece è un'intoccabile, altrimenti andrebbe tutto a rotoli. Ha finito per farsi carico delle mansioni del Primo Jack, e poi di quelle di Jules. Ha avuto un avanzamento di carriera, ma lo stipendio è rimasto lo stesso e non la lasciano mai andare a casa prima delle 19.

Lei la chiama *retropromozione*, cioè una promozione che ha tutte le caratteristiche di una retrocessione. Jenny e Pru e anche Lizzie e a volte Crease si divertono a inventare nuovi termini per le cose che accadono in ufficio. *Un giorno potrebbe venirne fuori un bel libro*, dice Pru.

In teoria Jenny è al sicuro. Ma ride bene chi ride ultimo.

Nessun effetto

Spesso ci dimentichiamo di Jill, che ci mette anche del suo. Con noi è sempre schiva, e quando si degna di interloquire di solito è per fare complimenti a qualcun altro: a Lizzie per i vestiti, a Pru per l'acume, a Jenny per le capacità organizzative.

Il mio problema è questa vocina, ha confidato una volta a Jenny.

Eh?

Vorrebbe andare in analisi ma è troppo timida per chiamare e prendere appuntamento.

Jill ha già abbastanza preoccupazioni di suo – vocina, capelli sfibrati, zero prospettive di fidanzamento, incapacità di andare in analisi – quindi la teoria del complotto sulla *J* la lascia indifferente.

Allarme rosso

Mentre aspetta che il microonde finisca, Jonah vede una figura slanciata che scivola silenziosa all'estremità opposta del corridoio e passando butta qualcosa nel cestino. Il microonde suona. Un'ora dopo, andando alla fotocopiatrice, nota un luccichio tra i rifiuti. Estrae con la massima cautela un CD spaccato in cinque, facendo attenzione a non sbaffare le parole scritte con un pennarello nero a punta grossa.

Tornato alla scrivania ricompone in fretta e furia i frammenti. Il titolo comico-pomposo salta subito agli occhi: I DOSSIER SEGRETI DI MAXINE PER LA CONQUISTA DEL MONDO. Aggiunto a penna sotto, in caratteri più piccoli, c'è il nome del nostro ex collega Jason.

Jonah è talmente sconvolto dalla scoperta che chiude la porta e schiaccia un pisolino.

<6>

Tragedia greca

Molto tempo fa, in un'altra vita, Crease insegnava letteratura e sociologia in una scuola femminile dell'Upper East Side. Ha smesso perché si sentiva ostaggio della routine. Non è dato sapere come gli sia saltato in testa che ricominciare daccapo in questo ufficio potesse essere minimamente più interessante. Prendere una decisione sbagliata può capitare a tutti, ma stando a noi non ce la racconta giusta.

Lo chiamiamo Crease invece di Chris perché l'anno scorso un'ex alunna, rampolla di una ricca famiglia di industriali greci (produttori di piani da cucina), ha cominciato a molestarlo davanti all'ufficio, ripetendo ossessivamente *Crease, ti amo*, senza sosta. Possibile che non se la ricordasse? Eppure erano sette anni che lei pensava soltanto a *Crease*. Era tornata ad Atene con i suoi ma adesso era di nuovo qui, ufficialmente per studiare scienze della comunicazione alla New York University, ma in realtà per stare vicina a lui. *Per sempre*. C'erano tutti gli ingredienti della tragedia classica. La ragazza si piazzava all'ingresso e raccontava la sua storia a chiunque le desse retta, compreso Testa di cavolo, mentre Crease sgattaiolava dentro di nascosto da una porta laterale e saliva in ufficio col montacarichi.

Un pomeriggio Laars l'ha vista inseguire il nostro eroe lungo la strada, gridando *Crease, Crease!* e scoppiando in lacrime quando lui ha girato l'angolo e si è infilato in un taxi. Solo a quel punto Pru ha cominciato a provare un certo interesse per Crease. Prima che iniziassero a molestarlo non si era quasi accorta che esistesse.

Apostasia

Naturalmente, a quel punto Crease era già un seguace di Maxine. Adesso però ha annunciato che vuole uscire dal gregge.

Laars sostiene che nel Giappone feudale appendevano i missionari gesuiti a testa in giù e li lasciavano penzolare sopra una vasca di frattaglie. Prima però gli facevano piccole incisioni dietro le orecchie in modo che il sangue colasse negli occhi e nel naso finché non crollavano e abiuravano la propria fede.

Laars pensa che a Crease dev'essere successa una cosa del genere, Crease che una volta ci ha fatto vedere un sonetto scritto da lui in cui ogni verso iniziava con una lettera del nome di Maxine.

Crease annuncia che quei tempi sono finiti, *amen*. Ieri è salito in ascensore con la donna più bella del mondo. Era imbarazzatissimo per via delle allergie. Aveva appena concluso una prolungata sequenza di starnuti, soffiate di naso e applicazione di collirio. Provava la sgradevole sensazione di avere tutti gli orifizi della testa che gli colavano nei modi più disparati e inenarrabili.

Voleva dire qualcosa ma non trovava le parole. Non aveva più aria nei polmoni. L'ha guardata di profilo per un istante. Poi ha abbassato gli occhi. Troppa bellezza in uno spazio così angusto.

Lei ha schiacciato il 7.

Il settimo piano è condiviso da una piccola agenzia pubblicitaria, un'associazione di volontariato che regala animali da compagnia agli anziani senza fissa dimora e una società di telemarketing piuttosto inquietante che si chiama Robodial Center Unlimited o qualcosa del genere.

Senza nemmeno prendere in considerazione l'ultima ipotesi, Crease decide che la donna o è una creativa oppure una santa.

Mi sembra di averla già vista, dice Jonah. *Altezza media, scheletrica?*

Slanciata, dice Crease. *Bella e slanciata. Ed euroasiatica, si dice ancora eurasiatica?*

Bella e slanciata è il tipo ideale di Crease, anche se lui è un tappo, leggermente scoliotico. *E ha un accento inglese fantastico.*

A quanto pare, gli aveva chiesto di *trattenere l'ascensore.*

È quella truccata come un troione?, chiede Pru.

Forse Pru ha una cotta per Crease. A volte sembra palese, altre meno. È bella, ma non particolarmente slanciata. Potrebbe avere qualche chance se si togliesse quel piercing al naso, ma non è detto che avere una chance con Crease sia la chiave della felicità. In passato c'era sembrato di intravedere qualche *scintilla*. Ma adesso pare che i tempi del possibile interesse reciproco siano finiti.

Non riesco a togliermi dalla testa questa Donna Orientaleggiante Dall'Accento Inglese , scrive via mail a Laars alle tre del mattino. Laars inoltra il messaggio a tutti.

Il curriculum infestato

Pru dice: *Ho un problema con un'interlinea fantasma che mi fa impazzire.* Sta sistemando il curriculum, ma in certi paragrafi il computer continua a darle un'interlinea doppia, anche se lei la vuole singola. Non c'è verso. Ha provato a copiare il testo, ripulirlo con un programmino gratuito che ha scaricato e incollarlo in un documento nuovo. Ha provato a cambiare carattere, metterlo in grassetto, rimpiccolirlo. Ha provato a riavviare. Ha provato a spedirlo via mail al computer di casa e poi rispedirselo di nuovo in ufficio, sperando che il bug sparisse lungo il tragitto.

Ha creato due volte un documento nuovo, riscrivendo tutto il curriculum da capo, come se fosse la prima volta, e appena prova a salvare riecco l'interlinea doppia. Come se il computer si fosse innamorato di lei e non volesse più lasciarla andare. Il computer vuole che lei resti inchiodata al cubicolo dell'ufficio e venga umiliata per altri tre, cinque, dieci anni.

Pru non vuole chiamare il tecnico, altrimenti capirebbe che sta cercando lavoro e potrebbe ricattarla. Si chiama Giles e nessuno si fida di lui. C'è un altro tecnico arrivato da poco, Robb con due *b*, ma non ci fidiamo nemmeno di lui. Con Otto qualcuno aveva legato, altri lo evitavano. L'unica che apprezzavamo all'unanimità era Lisa, ma parliamo di quattro tecnici fa.

Jenny, che sa un po' di tutto, dà un'occhiata al documento e dice che il problema potrebbe essere una sequenza di lettere all'interno del curriculum che vengono interpretate come un input dal programma di elaborazione testi, facendogli inserire l'interlinea indesiderata.

In altre parole forse è il suo nome che incasina il documento. Forse è P-R-U che manda in tilt il computer.

Possibile, visto che utilizziamo un astruso programma chiamato Microsoft Word.

Pru dice che non ha nessuna intenzione di cambiare nome solo per avere un curriculum presentabile. Secondo noi alla fine cederà. O almeno userà il nome completo, Prudence, che detesta e che al massimo le farebbe trovare lavoro nella biblioteca di un convento. In Nuova Scozia.

Il senso

Sono tre mesi che Pru dice: *Devo andarmene da questo posto.* Lizzie ha cominciato a esprimere sentimenti simili due settimane fa. Jonah ripete che è *ora di andarsene* da sei mesi buoni, ormai. Lo diciamo tutti, chi in un modo chi nell'altro, con diverse nuance, senza neanche rendercene conto. Forse ce lo diciamo dal primo giorno di lavoro, durante il sonno, seguendo pensieri esausti e silenziosi: l'emisfero destro del cervello che lo confida a quello sinistro, o forse il contrario.

Laars ha un mantra tutto suo. Lo sentiamo ogni mattina quando apre la posta indesiderata con un vecchio coltello da burro: *Che senso ha?*

Strategie a lungo termine

È bene ribadirlo: è meglio che Testa di cavolo non ti convochi per dirti che stai facendo un lavoro formidabile. Il Primo Jack, Jules e Jason hanno avuto tutti l'onore di un colloquio simile e nel giro di un mese sono spariti.

Testa di cavolo ti chiama, parla in vivavoce con fantomatici pezzi grossi, ridacchia per i risultati ottenuti e le cifre straordinarie. Ti copre di elogi, dice che il tuo lavoro è *fantasmagorico*. Dove l'avrà sentita? Detestiamo quella parola e vorremmo eliminarla.

Il crepitio del vivavoce è così forte che soltanto Testa di cavolo riesce a capire cosa dicono gli alti papaveri. Ride per quelle che dovrebbero essere battute, si fa serio di fronte a quelle che potrebbero essere decisioni drastiche, ti rivolge una smorfia di imperscrutabile (e falsa) complicità quando le entità all'altro capo del filo dicono qualcosa di assurdo. Ma naturalmente tu non riesci a cogliere una parola. È una stanza delle torture. Sorridi e guardi fisso fuori dalla finestra, in preda alle allucinazioni, valutando il lancio nel vuoto.

Lizzie è sopravvissuta a due riunioni di questo genere in un anno: la prossima sarà la goccia che farà traboccare il vaso. Ha iniziato a fare il backup di tutti i file inviandoseli a casa via mail, casomai avesse bisogno di cercarsi un lavoro. Lo fa con discrezione. Il curriculum è già stampato e non ha problemi di interlinea doppia, anche se Laars ha notato che, se la maggior parte del testo è in Baskerville, un paio di righe sono in Baskerville Old Face. Voleva accennarle la cosa, ma Lizzie ne aveva già stampate cento.copie su carta deluxe.

L'ideale sarebbe che la ricerca di un lavoro fosse superflua. La strategia a lungo termine di Lizzie è quella di sposare un barone svedese o vincere la lotteria. Anche a Pru non dispiacerebbe sposare un barone, anche se non ha preferenze sul paese di origine. Magari finiranno per contendersi la stessa persona: un barone decaduto che cerca di sistemarsi con una cavallona americana tutto pepe, magari con una T-shirt scolorita degli Smarties e i capelli a coda di cavallo. Laars dice che in certe parti del mondo la coda di cavallo è un vero e proprio oggetto di culto.

Il Primo Jack esprimeva spesso un certo interesse nel frequentare un'aristocratica. *Un'aristocratica o una majorette*, era la sua battuta. Chissà cosa combina adesso.

La lotteria

Alla lotteria non sfugge nessuno. Ma ognuno gioca con il suo biglietto, perché non vogliamo essere costretti a spartire il malloppo casomai uscissero i numeri giusti.

Un piano alternativo

Laars sbotta: *Voglio fare il casalingo.*

Le parole giuste

Lizzie e Crease sono in ascensore con tre persone che vanno al settimo, coffettino in mano. Crease vorrebbe tanto chiedere se conoscono la donna misteriosa dai tratti orientali. Sta cercando le parole giuste, per risultare affabile e non viscido, ma non c'è verso. Tanto varrebbe esordire così: *Sono un uomo molto solo.*

Lizzie e Crease arrivano al nostro piano. Lui lancia un'occhiata da cane bastonato mentre la porta si chiude e la cabina prosegue la sua ascesa verso il paradiso.

<7>

Non ti dimenticare i file per la cosa

La prima volta che lo conosci, Testa di cavolo ostenta il suadente ottimismo tipico dei canadesi. Due volte l'anno, in occasione del Canada Day e della festa di Natale, indossa la sua cravatta con la foglia d'acero. Quanto gli piacerebbe che uno di noi fosse di Ottawa o qualche posto simile! Tanto per chiacchierare di squadre di hockey dimenticate e scrivere *colour* con la *u*.

I denti bianchi al bicarbonato di sodio scintillano tra quelle labbra disgustosamente seducenti. Ha un bel testone, con i capelli lisci (a parte quando il famoso arbusto riottoso decide di farsi notare).

Non ha baffi, ma l'ampia distesa carnosa sopra il labbro superiore fa pensare che una volta crescessero rigogliosi: potrebbero sempre ritornare.

Qualcuno di noi ha notato che ha un odore molto gradevole: un leggero aroma di sapone, in sostanza, ma anche qualcos'altro. Lui e Maxine dovrebbero formare un club del profumo. Testa di cavolo non è certo un adone, ma non è neanche brutto, il che vista l'età significa bello. Ha frequentato un college pubblico, è passato all'Hamilton e poi alla Cornell. O forse viene da Hamilton, Ontario? Jules era convinto che la scuola fosse la *Colgate*, per via dei denti. Anche la storia del college pubblico veniva da Jules, che diceva di averla orecchiata da Emma, l'ex centralinista, la quale a sua volta sembra che avesse una cotta per Testa di cavolo. Non è detto che sia vero.

Passando davanti al suo ufficio spesso lo sentiamo dire: *Promemoria*. Poi comincia a parlare, un fiume di cifre e abbreviazioni, con pochissime frasi composte da parole vere e proprie. Altre volte lo abbiamo sentito telefonare a casa e lasciare un messaggio a se stesso: *Ehi Russell, qui Russell, non ti dimenticare di portare i file per la cosa.*

Forse vuole farci sentire quant'è disinvolto: i file per la *cosa*.

A volte si lascia dei messaggi brevissimi, qualche parola al massimo: *rubinetto doccia*, oppure *cipolle*, oppure *al Napoleon verso le nove*.

Abbiamo dedotto che quando chiama Sheila il cellulare di Testa di cavolo suona il Canone di Pachelbel. Quando chiama suo figlio suona il valzerino di *Chopsticks*.

Ha un master ottenuto tramite l'apprendimento a distanza. Almeno tre volte all'anno lo mandano a un seminario di aggiornamento in posti tipo Syracuse. L'anno scorso è andato in Australia da solo. Nessuno sa perché.

Non cominciate a farvi piacere troppo Testa di cavolo

Jules era presente quando Testa di cavolo ha licenziato Emma. Lei stava chiacchierando al telefono, lui le ha intimato di mettere giù la cornetta e seguirlo nel suo ufficio. È finita in meno di un minuto. Non è mai stata rimpiazzata, e per un certo periodo Testa di cavolo ha addirittura gestito il centralino dalla sua scrivania. La maggior parte degli storici ritiene che l'episodio vada annoverato tra i Grandi Licenziamenti, benché sia accaduto diverse settimane prima che iniziasse la vera carneficina.

Fatalità

Testa di cavolo vive con la moglie Sheila e il loro figliolo in una zona residenziale ricca di verde che da qualche tempo ha preso le distanze da un quartieraccio adiacente. Sheila è più alta e più grande di lui, una rossa piuttosto figa che abbiamo intravisto soltanto una volta, alla festicciola di Natale. È vicepresidente di una banca d'investimento e in più è ricca di famiglia, a detta di Jules.

Chissà se Maxine ha un CD anche su di *lei*.

Appena finito il college Sheila ha recitato in un filmetto di serie B, *Il fato è strafato*, che non siamo ancora riusciti a rintracciare. *Pensiamo* che sia la stessa Sheila. Interpreta Angie Fate, la scettica sorella minore della focosa astrologa protagonista, Linda Fate. Sia Jack II che Laars hanno inserito *Il fato è strafato* nei loro preferiti su eBay, ma il film non è disponibile in videocassetta, tantomeno in DVD, e mai lo sarà.

Jules sostiene di averlo visto da piccolo, anche se ammette che potrebbe essere la sindrome da falso ricordo scatenatagli dall'ultimo analista. È convinto che ci fosse una scena di nudo, non del tutto improbabile considerato il genere: commediola sexy adolescenziale. Il fatto che coinvolgesse cavalli, cammelli o carrelli – Jules non ricorda con esattezza – è decisamente meno probabile.

Il catalogo

I libri nell'ufficio di Testa di cavolo:
L'arte della guerra, di Sun Tzu
I dialoghi, di Confucio
Il principe, di Niccolò Machiavelli
Le profezie, di Nostradamus
Una roba intitolata *Come vendersi ogni volta*
Il nuovo dizionario universale Webster, nona
   edizione
Il dizionario storico della lingua americana, quarta
   edizione
Il dizionario dei sinonimi e contrari
*La grande guida per idioti a Microsoft Power Point
2000*

Inventario

Tra gli altri oggetti sugli scaffali di Testa di cavolo ci sono una foto in cornice di Sheila, un portacandele ammaccato senza candela, un liquore non meglio identificato, un ukulele di plastica e le Pagine Bianche di due anni fa ancora incellofanate.

Una Maxine tascabile

Immaginiamo che Testa di cavolo abbia un'amante. Quando usciamo a sbronzarci è un argomento fisso. Beviamo e immaginiamo una Maxine tascabile, con gli stessi occhi di Sheila, molto più giovane o di quindici anni più grande di lui. L'amante porta gli occhiali da sole in cima alla testa.

Tutti noi abbiamo immaginato Testa di cavolo che fa sesso. Dev'essere così ovunque, un rischio professionale per i Testa di cavolo di tutti gli uffici del paese: sei pronto a diventare un'istallazione permanente nella testa dei tuoi subordinati? Ogni notte è molto probabile che almeno uno di loro ti sogni.

Tutti noi abbiamo immaginato Testa di cavolo darci dentro con Maxine. Alcuni di noi si sono immaginati a letto con Sheila. Persino Pru, *soprattutto* Pru. Per lei è una fantasia che culmina ereditando tutti i soldi di Sheila. Testa di cavolo viene declassato a giardiniere e schiavo sessuale part-time.

Questo Pru non lo racconterebbe mai al suo analista, ma a noi è felice di snocciolare tutti i dettagli.

Matematica dell'accoppiamento

Laars dice che c'è una regola nell'accoppiamento: non puoi uscire con una che ha meno della metà dei tuoi anni più sette. È il limite minimo. Secondo la stessa formula, il limite massimo si determinerebbe raddoppiando la tua età e sottraendo sette. Non serve a niente – anzi, è una vera stronzata – ma ci divertiamo a fare calcoli per un po'. Per il resto del pomeriggio.

Prima il cognome

Ogni giorno di paga andiamo da Henry, Ufficio Personale, e lui ci chiede chi siamo, prima il cognome. Ormai dovrebbe saperlo. Ci prestiamo gentilmente, come se sollevando la questione si rischiasse una trattenuta sullo stipendio. Probabilmente avrà partecipato a un meeting sulle risorse umane dove gli hanno inoculato l'informazione che chi emette l'assegno deve confermare a voce l'identità del beneficiario. Eppure Henry invariabilmente confonde i due impiegati asiatici e dà a uno l'assegno dell'altro, prima di bloccarsi e trovare quello giusto. L'ha fatto anche con i due impiegati neri, prima che uno dei due fosse licenziato. Una volta si scusava per l'errore, ma persino lui si rende conto di quanto sia diventato ridicolo.

Qualcuno ricorda niente di Jason?

Jonah sta ancora cercando di risolvere il mistero del CD che Maxine ha fatto a pezzi e buttato via, perdendo per sempre i suoi piani per la conquista del mondo. *Jason*, c'era scritto. Conserva ancora i frammenti nel cassetto della scrivania e ogni tanto li contempla con aria cupa, guardando il suo riflesso suggestivamente incrinato.

Il titolo era sicuramente ironico. Ma perché c'era scritto *Jason* sotto? È sparito nel corso dei Grandi Licenziamenti, uno dei caduti di fine ottobre. Jill ci era diventata piuttosto amica, ma dice che l'ha visto per l'ultima volta alla festicciola di Natale. Si era imbucato, vestito da Testa di cavolo.

Cioè, è venuto alla festicciola di Natale?, domanda Lizzie.

Ci ricordiamo che Jules aveva un rapporto di amore-odio con Jason. Una volta non si sono parlati per un mese, dopo un bisticcio sulla carta inceppata nella stampante. A dire il vero, l'amore era poco e l'odio tantissimo. Ormai sono spariti tutti e due. Jason ci stava simpatico, ma chi se lo ricorda più.

Quella volta che ha sferrato un cazzotto al muro, butta lì Jenny. *Che coraggio.*

Laars tossisce. *Quello ero io.*

Pru si domanda se Maxine possiede un dossier per ciascuno di noi. Immagina CD pieni di filmati girati da microcamere a circuito chiuso nascoste nel monitor.

Jack II lancia un'ipotesi: Maxine e Jason erano amanti, e il disco contiene i momenti salienti dei loro trastulli pomeridiani. Lizzie fa notare l'ovvietà.

Cosa?, esclama Jack II. *Jason era gay?*

Crease alza la mano e batte il cinque.

Jonah fa notare che Maxine è arrivata in ufficio soltanto all'inizio di *questo* anno: febbraio, marzo al massimo. Significa che non è mai stata qui mentre ancora c'era Jason. Certo, ce ne vuole prima di notare un nuovo arrivo, ma la cronologia di Jonah sembra accurata. Maxine e Jason non si sono mai sovrapposti. Jack II insiste che dovremmo cercare di incollare i pezzi e vedere se si legge.

<8>

Il coso

Jenny ha smesso di uscire con noi a bere: forse dietro consiglio del *life coach* oppure perché ha trovato un ragazzo serio. L'abbiamo conosciuto, anche se il nome ci sfugge. Ha la faccia da bamboccione e un cespuglietto di dreadlock, predilige l'abbigliamento svaccato e rattoppato tipico dell'aristocrazia degli sherpa. Dà lezioni private di matematica ai rampolli del centro. *Che carino!*, dice Pru. Fanno fatica soprattutto con le divisioni, anche se questo ovviamente vale per tutti.

Il tizio divide un enorme loft con un'attricetta che non c'è mai. Pru c'è andata per una festa di Capodanno e non riesce a capire come possa permettersi l'affitto.

Laars sente la mancanza di Jenny. Forse si è preso una cotta. Quando allude al ragazzo di Jenny, lo chiama *il coso*, certe volte addirittura *il cosocoso*.

Stiamo lì a guardarci in faccia

La maggior parte di noi è in analisi. Ogni tanto qualcuno smette per un po', ingenuamente convinto di stare *meglio*, prima di rendersi conto che non esiste un *meglio*. Possibile che non l'abbiamo ancora imparato? Non migliorerà mai niente, non si sistemerà mai niente. Sistemarsi non è neanche il punto. *Qual è il punto?*

Jules andava da un lacaniano sbrigativo, ma abbiamo sentito dire che adesso è passato a un brentiano niente male. È un processo macchinoso perché una seduta brentiana si svolge tutta in francese. Il francese di Jules per la verità è *pas mal*, ma quello dell'analista è tutt'altro che fluente.

Jenny si fa beffe del metodo, anche se confessa a Pru che il suo rapporto con il *life coach* si sta guastando. *Stiamo lì a guardarci in faccia, senza dire una parola.*

La situazione sul lavoro è già abbastanza stressante senza doversi preoccupare anche del *life coach*. Nemmeno lei ne ha bisogno. Avrebbe quasi voglia di andare da un analista per parlarne. Forse la risposta ai suoi problemi sarebbe lasciare il lavoro e diventare *life coach*.

Jules in incognito

Circa un mese dopo il licenziamento, a Jules è capitato di incappare in Testa di cavolo e Sheila in una tavola calda. Testa di cavolo centellinava un caffè. Sheila beveva acqua. Erano seduti allo stesso lato del tavolo ma non aprivano bocca, ipnotizzati dal traffico diretto verso il centro. Una colazione alla *American Gothic*.

Sono usciti dopo un quarto d'ora di silenzio. Jules ha pagato il conto e se n'è andato. Non aveva niente da fare e così li ha seguiti fino alla Settantaduesima.

Erano a piedi. Jules si è infilato gli occhiali da sole e si è scompigliato i capelli per non farsi riconoscere, spalmandosi il ciuffo di saliva a mo' di gel. Poi ha iniziato a smascellare in modo spasmodico per far pensare a eventuali testimoni che, per quanto ben vestito, fosse un balordo psicolabile.

A metà dell'isolato Testa di cavolo e Sheila si sono infilati nel vestibolo di un elegante palazzo in arenaria. Jules ha contato fino a cento prima di avvicinarsi a guardare la targa sul portone.

Ha spedito una mail a Jonah per annunciare che Testa di cavolo e Sheila andavano da un consulente di coppia. Adesso quasi ogni settimana si ritrova a bighellonare da quelle parti, in attesa che appaiano. A volte, prima di sgattaiolare dietro l'angolo per non farsi vedere, attacca a sghignazzare. Siamo un po' preoccupati per Jules.

Immaginaria riduzione del danno

Non parlate con Jonah della DODAI, dice Crease a Jill, che è impegnata a scuotere le briciole dalla tastiera.

DO-*che?*

Donna Orientaleggiante Dall'Accento Inglese.

Chi?

Quella dell'ascensore!

Poverino, non ricorda più a chi l'ha raccontato e a chi no. La sua necessità di controllare le informazioni è agghiacciante, visto che deve *ancora* rivolgere parola all'oggetto della sua ossessione. Ormai l'ha vista chissà quanto tempo fa. Parlarne con gli altri, immaginare che siano ossessionati come lui, o che addirittura vogliano soffiargliela, gli dà un'emozione meno rischiosa che parlare direttamente *con* lei. E in più lo aiuta a fargli credere che lei esista ancora.

In mezzo al gregge

L'ultima teoria su Maxine non ha nulla a che fare con i californiani. Siamo convinti che sia una spia al soldo della concorrenza. Il CD *Jason*, quindi, era la sua valutazione del lavoro svolto da un ex membro del team.

La sua valutazione retroattiva, specifica Laars.

A un esame più attento la teoria non regge. Una spia? Da *noi*? La nostra azienda non è certo all'avanguardia. Il suo modus operandi è seguire le norme il più possibile, stando in mezzo al gregge per garantirsi la sopravvivenza.

Inoltre, se Maxine fosse davvero una spia, non farebbe qualche tentativo in più per conoscerci meglio? E più specificamente: uscire/venire a letto con noi?

Jules insinua che sia stata Maxine a farlo licenziare lo scorso novembre, ma non sappiamo nemmeno se lo conosceva. Jules era lento come la fame e metteva sempre il muso. In più aveva gonfiato la nota spese spacciando una cenetta macrobiotica per cancelleria. Una volta ha rubato proprio della cancelleria, ma per non portarsela a mano in metropolitana se l'è spedita a casa con un corriere.

Siberia

A mezzogiorno di lunedì Testa di cavolo trasferisce Jill in Siberia. È uno spazioso cubicolo al sesto piano, lontano da tutti, vicino all'uscita d'emergenza.

Non è stato sempre così. Prima dei Grandi Licenziamenti, qui lavorava un ampio team, e si trova ancora traccia del suo passaggio. Qualcuno lo conoscevamo, anche se non di persona. Ormai non riconosciamo quasi nessuno degli scampati, scaraventati qui e là, seduti ingobbiti di spalle, come se aspettassero il colpo di grazia. In apparenza ci sono più sopravvissuti al quinto piano, ma neanche troppi. Le loro mansioni non si intersecano mai con le nostre: è gentaglia a cui non dobbiamo neanche mandare mail.

I motivi per cui Testa di cavolo ha spostato Jill sono poco chiari, persino più misteriosi dei soliti motivi per cui fa qualsiasi cosa. All'inizio la fa sembrare quasi una promozione. Poi aggiunge che l'intero Ufficio Personale occuperà la sua ex postazione. La situazione è poco chiara. L'Ufficio Personale ormai è composto da una sola persona, Henry. Gli altri li hanno licenziati tutti.

Nessuno ha voglia di far notare che, un attimo prima di sbatterlo fuori, Testa di cavolo aveva elogiato Jules, dopodiché l'aveva spostato al sesto piano e gli aveva decurtato lo stipendio.

Comincia a rivelarsi come la Madre di Tutte le Retropromozioni.

I giorni passano. *Qui ci lascio le penne*, scrive in un'e-mail, e noi di rimando: *Veniamo a trovarti, resisti!!* Oppure *Eddai, non mollare…!*, ma passano i secoli prima che andiamo a trovarla, ammesso che ci andiamo.

Lo spazio incide sulla psiche, la psiche incide sul comportamento, secondo Pru. Ci immaginiamo Jill che arrostisce piccioni sulla stufetta, incide pittogrammi sul lato del monitor e poi li colora col sangue sgorgato dalle pellicine croniche sulle unghie.

Jill invia una mail davvero sfacciata a Jack II: *Le spalle mi fanno un male da morire, mi servirebbe un massaggino alla schiena!* Ma Jack II non risponde.

Andare in Siberia è un evento. Ci prepariamo alla spedizione, ci assicuriamo di non avere altri impegni, impacchettiamo i viveri. Poi una telefonata ci distrae e non riusciamo più a smuoverci. Forse una volta alla settimana, dopo un pomeriggio indolente, uno di noi intraprende il viaggio. Dalla sua scrivania, Jill sente cigolare i cardini di porte antichissime, che echeggiano lungo la tromba della scale. Gli impiegati degli altri uffici escono sul pianerottolo a fumarsi una sigaretta di nascosto o a piangere in silenzio. Nell'immaginazione di Jill, si palpeggiano a vicenda sotto l'intermittente illuminazione fluorescente, le bocche languide di piacere, tutta questa libidine proprio davanti alla sua porta.

Non ho il coraggio di aprirla, ci scrive via mail, quasi fosse la bambina di una fiaba a cui sta per accadere qualcosa di molto brutto o di molto divertente.

Ho delle fantasie su Testa di cavolo, ci scrive qualche ora dopo, quando i cigolii fantasma diventano troppi. *È sulla tromba delle scale con Maxine.*

E con Sheila, risponde a tutti Pru, che è fissata, ideologicamente, con le cose a tre.

E con Laars, risponde a tutti Laars, che nonostante il voto di castità è fissato con le cose a quattro.

K.

Sarebbe meglio non discutere via mail dei rapporti Testa di cavolo-Maxine, scrive Jenny a Jill. Solo che per sbaglio batte una K nel campo del destinatario e appare automaticamente il nome di Kristen. Jenny lo vede – *Kristen?* – ma si rende conto dell'errore soltanto una frazione di secondo dopo aver cliccato su invio. *Kristen!* Adesso ha una crisi di nervi.

Kristen è la supervisor di Testa di cavolo. La conosciamo al massimo per l'iniziale, K., che appare periodicamente in fondo a certe comunicazioni raggelanti che Testa di cavolo ci fotocopia.

Jenny ha sempre vissuto col terrore che l'azienda controlli la nostra corrispondenza elettronica, ma è soltanto quando cerca di allertare gli altri che si mette nei guai.

Morale: evitare di aiutare il prossimo.

Mistika femminile

Solo pochi di noi hanno avuto il privilegio di *vedere* K. Probabilmente usa un ascensore privato oppure si fa teletrasportare direttamente in ufficio. Una volta, circa un anno fa, Pru è rimasta sconvolta incontrandola allo Starbucks Figo. Noi abbiamo chiesto in coro: *Chi?*

Non è mai presente alle riunioni, anche se a volte abbiamo il sospetto che origli a distanza.

K. sta in un ufficio di massima sicurezza al quinto piano: uno sopra di noi, uno sotto Jill. La sua porta è sempre chiusa, la veneziana impenetrabile. Nessuno sa cosa succede lì dentro. Ce la immaginiamo mentre rimprovera Testa di cavolo e Maxine in vivavoce, sorseggiando Diet Coke e gettando i vuoti dalla finestra.

Siamo così lontani dal suo regno che quando pronunciamo quel nome a volte lo storpiamo in Karen o Kiersten, e nessuno è sicuro al cento per cento se sia il caso di correggere. Lizzie pensa che *qualsiasi* nome suonerebbe troppo femminile, attenuando il potere di cui gode. Meglio pensare a quella donna semplicemente come K.

Furto con destrezza

Sul Post-it magenta in cima al blocchetto sulla scrivania sud di Crease campeggia un messaggio: *Per favore, smettetela di derubarmi.* Nessuno li ha mai rubati, ma adesso qualcuno comincia a farlo, giusto per confermare i suoi timori. Continuiamo a togliere il Post-it in cima, prendendone qualcuno di quelli sotto e rimettendo al suo posto quello con la supplica di Crease.

Lui ha mangiato la foglia. Allineare perfettamente i bordi è impossibile.

Otto pagine bianche

Maxine invia a Testa di cavolo un pdf intitolato piani2. Chissà perché Testa di cavolo si rifiuta di aprire i file in pdf. Con la tecnologia se la cava abbastanza, perciò si tratta di una superstizione o di un'assurda fobia. Forse le lettere *pdf* gli ricordano un amore perduto o un trauma infantile. È costretto a chiedere a Jenny di scaricare i file e stamparli.

Testa di cavolo ha una stampante-fax nel suo ufficio, ma non è collegata al computer di Jenny. Deve usare la stampante asmatica nella segreteria, praticamente a un fuso orario di distanza.

Jenny apre il pdf. Preme il tasto stampa e si incammina, ma all'arrivo trova soltanto otto pagine bianche. Passa le ore seguenti ad armeggiare col documento finché Testa di cavolo non le telefona per chiederle a che punto è. Lei pensa che lui pensi che lei se n'è dimenticata. Gli porta le pagine e prova a giustificarsi, ma pare che Testa di cavolo non voglia sentire ragioni.

Otto pagine bianche. Quando le vede sbianca anche lui, come se gli avessero infilato nel letto una testa di cavallo. Scappa via prima del solito e il mattino dopo c'è un messaggio nella casella vocale di Jenny: Testa di cavolo si prende un giorno di permesso.

L'ora peggiore del mondo

Adesso Jenny fa anche da assistente a Testa di cavolo, oltre a svolgere le normali mansioni. Il ruolo in precedenza era ricoperto dal Primo Jack, che è stato licenziato l'11 settembre. Non *quell'*11 settembre, ma il quarto anniversario. Una domenica. Testa di cavolo l'ha chiamato a casa. È considerato l'inizio ufficioso dei Grandi Licenziamenti.

Troviamo ogni volta intollerabile guardare l'orologio del computer e vedere che sono le 9:11.

Testa di cavolo le ha detto che Henry dell'Ufficio Personale stava cercando un sostituto per Jack. Sono passati tre mesi. Poi ha cominciato a chiederle di stampare elenchi, bozze e pdf, di rifornire di evidenziatori l'armadietto e di chiamare il reparto informatico ogni volta che saltava la rete, il che accadeva – o meglio, accade – una settimana sì e una no.

È passato un anno, con Jenny a fare le veci del Primo Jack. Poi è rimasto tutto uguale.

C'è vita in Siberia

Andiamo tutti a trovare Jill portando caffè gelido, biscotti e una decina di bustine di zucchero, neanche vivesse in una terra dove lo zucchero è la moneta corrente. Le diciamo di conservarlo e di usarlo con parsimonia perché non vogliamo tornare a trovarla. C'è qualcosa di oppressivo e triste in quel cubicolo minuziosamente decorato. Ha appeso le nostre foto ai tempi della breve parentesi col softball. Sembriamo un gruppo di squilibrati: gli occhi spiritati, pasciuti e allegri senza alcuna ragione valida. È strano vedere Laars con una mazza da baseball in mano che indica orgoglioso la clip-art finlandese sulla casacca.

E quello chi è?, domanda Jenny.

Otto, fa Laars. *Dovrei fargli un colpo di telefono.*

C'è vita da queste parti: una clorofita, un affare pauroso che sembra un cactus, un agave in buona salute. Scherziamo sul suo pollice verde. Ma tutti gli effetti personali che ricordiamo del periodo che ha passato con noi adesso sembrano tristi e infetti. Fa troppo male guardare le foto di famiglia, del cagnolino e di un ragazzo di allarmante bellezza che probabilmente è suo fratello (ma potrebbe anche essere il suo fidanzato). C'è un forte odore di agrumi nell'aria, uno sciame di limone chimico in lotta contro la polvere che stringe d'assedio il suo accampamento per un raggio di tre metri o giù di lì.

Oggi non ho fatto altro che controllare e-mail, sbuffa.

Più tardi Crease ci chiede: vi siete accorti che aveva le mani tutte sporche d'inchiostro?

Pru no, ma ha notato un taglio di capelli strambo e la nuova sciarpa sgargiante. La sciarpa sembrava sbilenca, come un'anguilla proveniente dal futuro o una cosa indossata da una vittima di Dracula. *Come se togliendola, la testa potesse staccarsi e rotolare via.*

Qualcuno mi aiuti

A intervalli di pochi minuti, Pru ci invia per mail le sue disavventure con la tastiera: *Non riesco più a fare un punto esclamativo o interrogativo. Aiuto. Aiuto.* Siamo tutti solidali. Il deterioramento delle funzioni di punteggiatura è una bella gatta da pelare. Testa di cavolo ci ha promesso dei computer nuovi. Due anni fa.

Rivelazioni in ascensore

Oggi percepiamo qualcosa di nuovo in ascensore. Ne sentiamo l'odore, ancora prima di vederla: una moquette grigio pietra che attutisce i passi.

Alla fine del pomeriggio abbiamo già dimenticato che aspetto aveva prima il pavimento. Siamo paralizzati dalle punte di colore mescolate alla trama grigia e opaca, visibili soltanto dopo prolungata ispezione. Le fissiamo quasi sperando che suscitino un'illusione ottica, qualcosa in cui possiamo credere, la botola segreta verso un altro mondo.

Potrei vivere qui, scherza Jonah.

Sfogarsi

Jill è una di quelle rare persone che sono più timide via mail che nella vita reale. A volte aspetta fino a venerdì per inviare le lettere commerciali meno urgenti, perché così può aggiungere in chiusura *Buon weekend! Bisogna dare ai messaggi un po' di calore umano,* dice Jill con voce da androide. Non c'è niente di più universale del weekend e delle modeste speranze che la gente vi ripone.

Un venerdì, prima di uscire, Jill si ferma al nostro piano, ma noi siamo già fuggiti verso le nostre vite, verso i nostri fantasmagorici weekend. Passando davanti alla scrivania di Jenny, vede una scheda sul pavimento. C'è scritto:

3. Sfogare la rabbia! Essere più efficienti. Esercitarsi di più!

<9>

L'Innominabile

Quest'uomo è qui da una vita, ma solo di recente si è agglutinato in un essere identificabile. Manco sappiamo come si chiama, ma Jack II sostiene che anche lui si chiami Jack. È troppo: la mente non può contenere tre Jack. Il Primo Jack licenziato, cioè l'originale, l'attuale Jack II e questo presunto Jack III. Allora lo ribattezziamo *L'Innominabile*.

L'Innominabile è sulla cinquantina, alto, con una frangetta di capelli bianchi e due occhi scintillanti e curiosi. Il passo pesante dà l'impressione che sia radicato a terra: uno spirito libero, un guardiano orgoglioso, un aristocratico dei corridoi e degli scomparti. Sta di fatto che è *diverso*. Lento. Ha problemi di linguaggio. Quando cerca di parlare, sembra quasi che boccheggi. È difficile distinguere le parole in quel gorgoglio impastato, quindi ci limitiamo ad annuire e sorridere. Sembra che per lui sia più che sufficiente, e ci risponde con la stessa moneta. Questo ti fa sentire bene, anche se non capisci bene il perché.

La sua mansione, per quel che ne sappiamo, è quella di galoppino. Mettiamo una sigla sulle buste e lui abbina queste sigle a quelle sulle vaschette accanto a ogni scrivania. Lo fa in silenzio, si sposta in modo discreto: spesso neanche ti accorgi che c'è posta per te. Deve avere le scarpe felpate. In genere l'Innominabile si incontra solo per caso. Se almeno facesse più rumore.

Noi spediamo tutto via mail e di rado mandiamo comunicazioni cartacee, invece Maxine lo utilizza con regolarità e a poco a poco anche noi ci adeguiamo.

Jill vuole sfruttarlo per tenerci in contatto. *Ho fatto sviluppare un po' di foto*, scrive via mail a uno di noi. *Le metto nella cassetta della posta.*

L'Innominabile però ha un'avversione per la Siberia. Non si spinge mai fino alla scrivania di Jill e alla sua vaschetta, a meno che uno di noi non le indirizzi qualcosa, il che per un motivo o per l'altro non è mai in cima alla lista delle priorità. Quando finalmente arrivano le foto di Jill, è difficile raccapezzarsi. Forse risalgono a quella volta che siamo usciti a bere e abbiamo incontrato Jason – un Jason infelice e licenziato – in giacca e cravatta, ma è difficile dirlo.

Una volta Pru ha chiesto all'Innominabile come si chiamava, ma lui si è limitato a gorgogliare qualcosa. Forse non ha capito la domanda. A volte Pru lo chiama *Pa'* o *Nonno*. Sono le sole volte che sorride.

La ranocchia antistress messicana

Jonah va in Messico per una settimana. Ci manda le foto col cellulare. Chissà cosa voleva fotografare. L'oceano? I gabbiani nella piazza del paese? Le nuvole? Le nuvole ce le abbiamo anche qua. In una foto ci sembra di vedere una barra di cioccolato gigante.

Poi ci spiega che era l'ingresso della tomba di un capotribù che governava tramite il caos. Raccontava ai suoi sudditi che una tribù stava attaccando da nord, poi nel corso della giornata sosteneva che la tribù era stata avvistata a sud. La milizia si faceva in quattro. Non si è ancora capito come potesse trarre beneficio da queste tattiche sconcertanti, eppure quell'inaccessibile sacca di civiltà riuscì a prosperare per secoli. Gli artigiani di corte scolpivano figure esili e altissime, con addosso quelli che parevano essere dei pantaloni a zampa. La tribù venne annientata non dai predoni, ma da tre donne capitate per caso nel villaggio che incantarono gli uomini con la loro bellezza. Il capotribù le pretese tutte e tre in moglie. C'era di mezzo un sacrificio di sangue, il primo nella storia di quel popolo, anche se Jonah non ricorda più bene chi fu sacrificato, se le nuove donne, le vecchie, gli uomini, il capo o i bambini.

Jonah dice di aver comprato pensierini per tutti, ma li ha dimenticati nella stanza d'albergo. Non sappiamo esattamente se in Messico c'è andato da solo o con qualcuno. Non fornisce questa informazione. Di più: non abbiamo ancora capito se è etero o gay. Si è pronunciato soltanto una volta, con strana ed eccitante veemenza, contro la bisessualità. Secondo il suo analista (anzi, il suo ex analista) è una soluzione di comodo. *Scegli o l'una o l'altra e piantala di farne un dramma.* Questa tirata ci ha fatto concludere che è bisessuale.

Sulla sua scrivania adesso c'è una ranocchia antistress messicana, un'icona lignea lunga quasi trenta centimetri con il dorso striato, da accarezzare con una bacchetta di legno per creare un suono distensivo. Qualcuno direbbe irritante.

Quando la accarezzi dalla coda alla testa fa questo suono: *Takata takata tak.*

Quando muovi la bacchetta nella direzione opposta, il ritmo assomiglia più a un *Tak-tak, kataka-ta.*

Negli ultimi tempi la suona praticamente in continuazione.

Il tostatore

Jules, quel matto di Jules, adesso che non è più da noi fa un sacco di cose. *Essere licenziato è la cosa migliore che mi sia capitata*, dice. Ma è una frase fatta.

Passa la maggior parte del tempo nel suo fotografatissimo ristorante dove cucina tutto in un tostapane. Come ha fatto a racimolare i soldi? Quando in ufficio la situazione è precipitata, ha trovato un secondo lavoro come guardarobiere in un locale esclusivo di striptease sull'Undicesima Strada. Probabilmente le mance erano fantastiche (Pru dice scherzando che forse era *lui* quello che si toglieva tutto).

Il posto con il tostapane ha uno di quei nomi trisillabi che adesso fanno furore. Terrapin, Parapet, Happenstance? Non ci viene mai. Ci rammarichiamo di non essere riusciti ad andare all'inaugurazione. Forse si chiama solo Restaurant.

Gli affari andavano così bene il primo mese che Jules ha comprato altri due fornetti e ha assunto un tostatore part-time per farsi dare una mano durante il pienone della pausa pranzo.

Circumflex, Herringbone, Anagram?

Qualcuno di noi finalmente lo va a trovare a pranzo, una ricerca sul campo. Siamo contenti che le cose gli vadano alla grande. Anche se il buonismo scade dopo cinque minuti e la gelosia prende il sopravvento.

Continua a fare strani commenti sull'ufficio, non per metterci a disagio ma perché ne è ancora ossessionato. Vuole sapere per filo e per segno le ultime novità su Maxine, che non ha neanche mai conosciuto.

Voi non avete idea di cosa significa lavorare da soli, dice Jules. *Non parli mai con nessuno.*

Si è già stancato? Che delusione. Ci sarebbe piaciuto vedere qualcuno che aveva successo, dopo il licenziamento. E non solo fare un altro lavoretto d'ufficio, ma perseguire una vita creativa, ammesso che infilare cose in un tostapane si possa definire creativo.

Abbiamo tutti dei progettini paralleli sui quali siamo piuttosto laconici. Jack II scatta polaroid sfocate a soggetti tipo i detriti urbani o le crepe del manto stradale. Lizzie va a Central Park o al Metropolitan quasi tutti i sabati per fare degli schizzi. Laars ha ambizioni chitarristiche. A volte quando non sa che sei lì vedi la mano sinistra che schiaccia accordi immaginari mentre la testa ondeggia a chissà quale ritmo. Pru lavora a maglia più di quanto non ammetta: maglioncini, sciarpe e calzini da bambino per i nipotini lontani. Quando Crease ha preso possesso della scrivania di Jason, ha trovato un centinaio di poesie in una busta sigillata. E sicuramente anche il compassato Jonah ha una vita parallela: bricolage della domenica, romanzo nel cassetto, melodramma alla quindicesima stesura.

Celery, Colophon, Venison?

Tutti i presenti concordano sul fatto che Jason abbia una cera migliore. Quando era giù di corda, in ufficio, sembrava uscito da un promo per un corso universitario di psicologia: privato del sonno, robotico, convinto che non ci fosse nulla di male nel praticare l'elettroshock a due bambole di plastilina con l'etichetta MAMMA e PAPÀ. Adesso la troupe fotografica di una rivista giapponese gli sistema il colletto, gli liscia i capelli e gli incipria la fronte.

Cataract, Polyglot, Rolodex?

Ci serviamo da soli altra limonata e ordiniamo le uova alla Benedict. *Non rischiamo di beccarci la salmonella?*, si chiede Lizzie.

Il fotografo dice: *Cheese!*

I negazionisti

In metropolitana Pru legge romanzi per il club del libro, tascabili dall'aria cupa con copertine opache e titoli enigmatici. Ha *quattro* giorni di assenza per motivi personali all'anno (una cifra record negoziata quando è stata assunta) e tradizionalmente li usa per finire un romanzo che non riesce a mettere giù. Le piace rannicchiarsi sul divano di casa, ma dice che in realtà il grosso lo legge in metropolitana. Ce la immaginiamo sul vagone con una sacca piena di libri, immersa nella lettura mentre percorre la città, da Herald Square a Inwood, da Astoria a Coney Island.

Ne ha letti parecchi con il suffisso *-ista* nel titolo: *Il pragmatista. Il trapezista. Il negazionista.* Poi ci sono un mucchio di libri con la forma possessiva del cognome di un personaggio celebre, preceduta da un sostantivo. *La matita di Napoleone. Le braghe di Freud. Il dilemma di Shakespeare.*

Lizzie invece i libri li detesta, il che è quasi delizioso. Usa i giorni di permesso per farsi la manicure e cose così. A maggio, Laars si è dato per malato ed è andato al cinema. Erano le tre del pomeriggio e mentre infilava la Coca nel portabicchieri ha visto entrare Lizzie, con i pantaloni della tuta e un maglione sformato. È rimasto così di sasso che è sprofondato nella poltrona finché non è cominciato il film.

Mostrare le chiappe

Un mese sì e un mese no arriva una troupe cinematografica o televisiva a girare per un paio di giorni davanti all'ufficio. Le roulotte sbarrano la strada. Azzimati lacchè con gli auricolari incedono lungo il marciapiede, caffè in mano, addestrati a respingere qualsiasi intrusione. Laars adesso ha preso a insultarli. Pru dice che una volta gli ha mostrato il culo e al pensiero Jonah tremola come una gelatina. Un'estate Jules si è messo a lanciare gavettoni dalla finestra del sesto piano.

La facciata irregolare del palazzo, con la sua gargolla solitaria e beffarda, appare nelle pubblicità di: una fulgida bibita energetica, tre diverse tariffe per la telefonia mobile, una società di gestione finanziaria, una barretta proteica e un analgesico.

La migliore in assoluto è quella per un sito Internet che immagazzinava migliaia di richieste di lavoro pronte all'uso per tutte le città del paese. Si chiamava Occupazione Parallela. La macchina da presa entra in una finestra aperta e si inoltra in una stanza cavernosa, molto Rivoluzione Industriale, con il suono sinistro di catene che sferragliano e liquidi che gocciolano da travi spoglie. Su un nastro trasportatore scorrono persone dall'aria depressa, evidentemente disoccupate, seguendo un percorso a forma di otto. Alla fine vengono stipati nel monitor di un computer – che rappresenta il sito di Occupazione Parallela – e fuori campo vengono sottoposti a un'energica centrifuga. Poi vengono sputati dall'edificio, sul marciapiede lucido, con le ventiquattrore in mano e l'aria entusiasta di chi ha un lavoro e ha capito a cosa serve un pettine.

Lo slogan è *Nulla si crea nulla si distrugge.*™

La voragine

C'era un parcheggio che molti di noi usavano come scorciatoia appena usciti dalla metro. Nei giorni di pioggia diventava un pantano con qualche isolotto qua e là, così distanti l'uno dall'altro che le diverse forme di vita crescevano e si sviluppavano autonomamente.

Questa primavera, o forse l'anno scorso, hanno transennato l'area e abbiamo imparato a fare tutto il giro usando il marciapiede, come fanno i cittadini modello. Adesso, aggrappati alle transenne, vediamo che una gigantesca voragine ha completamente cancellato il nostro vecchio percorso.

La voragine segna le future fondamenta di un enorme palazzo di vetro che ricalca nella forma il simbolo dell'infinito. Secondo Lizzie ne ricaveranno dei loft per miliardari. Jack II spera che diventi un centro commerciale, o che almeno ci mettano qualche panchina dove sedersi e rilassarsi con un caffè e un tortino alla cannella. Sostiene che in città i posti dove trovare un tortino alla cannella decente si contano sulle dita di una mano. Al momento gli viene in mente solo un'azienda a gestione familiare di York-ville. Una vocina ci dice che sta ripetendo a pappa-gallo la pagina *coolinaria* del «New Yorker».

L'Alcova Rossa

In ufficio Lizzie, Pru e Jenny a volte mangiano insieme nella nicchia appartata accanto alla finestra. Ordinano barattoli di plastica trasparente strapieni di cavolini di Bruxelles, sorseggiano bevande colorate. *Nicchia appartata* è un simpatico termine da agenzia immobiliare per indicare un ripostiglio in disuso con una delle pareti abbattuta. Anche quando Jill era al quarto piano, era troppo timida per unirsi al gruppo. La nicchia è direttamente sotto la scrivania di Jill al sesto piano, perciò adesso è un po' come se fosse con loro nello spirito.

Sfogliano riviste di moda, prendono in giro le pubblicità, o forse no.

Vi piacciono queste felpe col cappuccio?

Non dicono mai niente, ma è evidente che è un rifugio per sole donne.

Non le sopporto con quella specie di freccia sulla schiena.

Laars ha iniziato a chiamarla L'Alcova Rossa. Da quando ha fatto voto di castità, si è iscritto a un club del libro. Glielo ha fatto conoscere il suo ex coinquilino, che poi se n'è andato, e quindi Laars è rimasto l'unico uomo. Al club hanno appena letto un libro intitolato *La tenda rossa*, che parla di una tenda rossa dove le donne si ritiravano quando avevano il ciclo.

È stata una lettura appassionante, osserva Laars diplomaticamente.

81

Quattro tentativi

Laars sta per andare in vacanza. Prende due giorni di ferie più due di permesso. Implora tutti di ricordargli di cambiare il messaggio in segreteria prima di partire, ma a noi chi ce lo ricorda?

Deve uscire entro le 17:30 per prendere l'aereo. Alle 17:20 lo sentiamo mentre tenta di lasciare un messaggio adatto in segreteria. Dieci minuti sembrano tanti, ma sappiamo che acchiapperà l'aereo al volo.

Ciao, sono Laars. Non sono in ufficio. Fino al ventuno. Perciò. Vi prego di lasciare un messaggio, anzi, non lasciate un messaggio... vi... cazzo.

Sono Laars sono in ferie dal diciassette al ventuno perciò non sarò in ufficio perché sono in ferie aaarggg.

È un festival di Tourette. Laars affonda la testa tra le braccia. Chiazze di sudore gli macchiano la camicia delle vacanze, la camicia blu in stile country con i bordini bianchi.

Non sono in, sono in... No, no.

Sono... Laa... Porca puttana, vaffanculo.

L'elenco delle chiamate

Quello che dici nel messaggio in uscita è irrilevante. Dopo averti ascoltato, le persone sentono il bisogno di commentare. Quando Laars torna dalle ferie, la casella vocale è comunque intasata.

Spero che ti sia divertito, dicono tutti, perfino gente con cui non ha mai parlato prima. *Bentornato.*

Dallo schermo del display riesce a capire se il messaggio viene da un pezzo grosso o no. Per lunghi periodi scorre svogliatamente l'elenco delle chiamate ricevute, premendo 1 per ascoltare un nuovo messaggio, poi 9 per cancellare la chiamata senza nemmeno aspettare che la voce robotica della segreteria gli dica chi è. *Messaggio ricevuto dal numero 2-1-2 – Messaggio eliminato.*

Ci sono lunghe serie positive in cui preme 1 e poi 9 così veloce, 1-9-1-9-1-9, che la voce del robot riesce a dire solo *Messa – Messa – Messa – Messa – Messa – Messa.*

Più tardi, si fa prendere dall'ansia perché ha paura di aver cancellato cose importanti, per esempio il messaggio di chissà quale miliardario, un tipo alla mano che vorrebbe affidargli il lancio di un nuovo progetto, un'assurda combinazione tra galleria d'arte – impero web – rivista ambientalista – ritrovo di snowboard – festival di controcultura.

<10>

La confessione

È più forte di me!, dice Jack II a Lizzie mentre riscalda al microonde qualcosa ad alto tasso di formaggio. *Mi sono innamorato della Donna Orientaleggiante Dall'Accento Inglese.*

Tenta di farle promettere che non lo dirà a Crease. *Mi spaccherà la faccia*, dice, sempre pronto a incasinare oltre il necessario la sua vita. Lei invece lo spiffera subito a Pru, che lo dice a Crease.

La perfida Albione

Lizzie si lancia in una filippica su quanto siano sopravvalutati libri, film e sitcom inglesi. Difatti tutto il paese e i suoi abitanti vengono a scroccare negli Stati Uniti. All'inizio era divertente, ma forse, per quanto la riguarda, è il caso di raffreddare un po' i toni. Tanto per cominciare, potrebbe smettere di invocare il Boston Tea Party.

Attacca di nuovo con questa manfrina, scatenata dall'anteprima di un film che parla dell'Isola di Wight e di strampalati tardoni che fondano una colonia nudista. Abbiamo il sospetto che c'entri qualcosa la recente ossessione di Crease per la DODAI, l'ancor più recente infatuazione di Jack II e il rischio che tutti gli uomini dell'ufficio li seguano a ruota.

Impossibile annullare

Il curriculum di Pru comincia a vivere di vita propria. Lei pensa di aver finalmente risolto il problema dell'interlinea doppia convertendo tutto in un font che si chiama Lemuria, per poi fare copia e incolla in un altro documento. Sembrano geroglifici, ma l'interlinea doppia si è miracolosamente trasformata in un'interlinea singola.

E vai!, ci scrive via mail.

Poi seleziona tutto il testo per cambiare il font in Bookman Old Style. Lascia il mouse troppo presto e diventa Braggadocio, un carattere adatto soltanto per i menu di quelle bettole all'antica che hanno un suonatore d'organetto come complemento d'arredo.

Adesso posso trovare lavoro con un quartetto di voci maschili.

Pare che assumano alle poste, dice Crease.

Pru è in un vicolo cieco. La finestra di dialogo le dà *Impossibile annullare*.

Una litote, dice Jenny per venirle in soccorso.

Quando Pru seleziona il testo e tenta di convertirlo in un carattere più normale, l'interlinea doppia riappare.

Nulla si crea nulla si distrugge, dice Pru, citando Occupazione Parallela.

Due parole

Pru passa davanti all'ufficio di Testa di cavolo. Lui ha appena composto un numero e sta aspettando il bip per lasciare un messaggio. Dice tre parole: *Spezzatino di vitello.* Poi riattacca.

Si accorge di lei.

Mi sto chiamando per ricordarmi di andare a comprare gli ingredienti per lo spezzatino di vitello!

Niente, roba vecchia

Jonah ascolta musica mentre lavora. Usa il lettore CD del computer. Ha un paio di cuffiette di plastica blu che possono costare pochissimo o tantissimo. Sentiamo trapelare suoni, vocine che gracchiano. Non è affatto male. Ci fa pensare che stiamo lavorando in un ambiente fico e rilassato, invece che in una zona disastrata.

Quello che non ci piace è quando Jonah comincia a battere la matita a tempo o a sbattere le gambe talmente forte che la scrivania trema. Si sente anche da fuori. Ogni volta che Jonah entra in trip musicale, Crease fa la plateale scena di migrare all'altra scrivania.

Se chiedete a Jonah cosa sta ascoltando, lui risponderà: *Niente, roba vecchia.* Immaginiamo che sia musica country o sigle di telefilm. Ma Pru lo mette alle corde e scopre che il CD in heavy rotation è l'incisione di un'opera ceca che parla di una donna di trecento anni proveniente da un altro pianeta, o qualcosa del genere.

Forse anche Jonah viene da un altro pianeta. Questo spiegherebbe gli occhi color ardesia misteriosamente fiammeggianti, l'elegante valigetta in futuristico materiale idrorepellente, la tendenza a predire il futuro con una precisione superiore alla media. I viaggi in Messico servono a consegnare informazioni elaborate e reperti del tardo-capitalismo all'astronave madre.

Una volta Laars lo ha addirittura beccato in ufficio di prima mattina, con le luci ancora spente: scriveva al computer con gli occhi chiusi.

Recentemente, Jonah ha spiegato che la corretta pronuncia del suo nome sarebbe *Yawner*, una pronuncia ceca, probabilmente, ma nessuno ha intenzione di adeguarsi. Può anche darsi che Jonah voglia far credere a Testa di cavolo e a Maxine che il suo nome si scrive con la *Y*, visto che tutte le *J* vengono defenestrate.

SIC

Maxine invia per e-mail ad alcuni di noi il link a un articolo che le sembrava divertente, da un blog che non abbiamo mai sentito nominare. *SIC*, scrive nell'oggetto, seguito da una faccina sorridente.

Aprendo il link si impallano tutti i computer, tranne quello di Pru. Noi riavviamo. Lei ci fa un copia-incolla di alcune foto e del testo. Il sito è tappezzato con le immagini di cani e gatti che si strofinano il muso uno contro l'altro.

Chissà perché, da Maxine ci aspettavamo di più.

Appena Pru preme Invio, il computer si blocca. Poi si impallano anche tutti gli altri.

Un'ora più tardi, Crease dice: *Credo che voglia dire Simpatico Interessante Coinvolgente.*

<11>

Henry Laser

Realismo magico nell'Ufficio Personale: Henry si fa operare con il laser e resta a casa per una settimana. Quando torna, l'azzurro dell'iride è quintuplicato d'intensità.

Oggi rivela a Jonah che riesce a vedere attraverso gli oggetti – vestiti, metallo, legno, mattoni. Anche se non sempre, e poi l'immagine si sfoca di continuo. Ancora non riesce a regolare luminosità e nitidezza. A volte riesce a vedere gli organi interni delle persone. È tanto una disgrazia quanto un dono.

Da quand'è che non ci sta più con la testa?, chiede Jonah.

Eppure quando Henry si avvicina, ci defiliamo, sparpagliandoci il più in fretta possibile per uscire dal suo campo visivo.

Check-up di base

Periodicamente, Jill soffre della malattia dello scrivano, anche se Jonah i *suoi* dolori li chiama sindrome del tunnel carpale. Non sono la stessa cosa, benché nessuno dei due degenti sappia trovare la differenza.

Prima Jill si domandava se non fosse soltanto autosuggestione. Ci fa una sinossi del libro sul mal di schiena che sta leggendo. L'autore sostiene che quasi tutte le algie di questo tipo manifestano una tensione repressa. La spiegazione psicosomatica è suggestiva, ma comporta qualche problemino. Una settimana dopo, abbiamo tutti il mal di schiena.

Fatela smettere

Un'altra mail SIC di Maxine rimanda a un sito dove si vedono gatti acciambellati in un lavandino, che ti guardano con insopportabile svenevolezza. Ma che le prende? Non sarà che un virus le ha clonato la rubrica? Capita anche nelle migliori aziende.

Laars ha letto di un virus chiamato DeFenestraMento che si annida in certi oscuri siti di recruiting. Quando provi a caricare il curriculum, il virus lo trasforma in caratteri incomprensibili o peggio. Solo che *tu* non lo sai. Il tuo CV rimane sospeso lì, nel cyberspazio, finché un'azienda non lo scarica. E in quel momento si trasforma in un documento chilometrico coperto di geroglifici, foto di arcobaleni e recensioni di film porno.

Singin' in the mail

L'Innominabile ha preso a canticchiare tra sé e sé mentre fa il giro per ritirare e consegnare le carte. Fosse un altro, ci darebbe fastidio, ma l'intonazione è perfetta e le canzoni, mai sentite prima, sono rasserenanti. Arie tratte dall'opera aliena ceca di Jonah, forse. A volte mettiamo una lettera nella vaschetta a mo' di esca per attirarlo, sperando che c'intoni un motivetto.

Oggi Jill sente qualcuno nella tromba delle scale, sembra che vada avanti da ore e ore, canticchia felice l'intero repertorio di Cole Porter. Ma quando apre la porta, regna il silenzio. Cerca di individuare un suono umano qualsiasi: dei passi, un colpo di tosse, il fruscio dei vestiti. *Quassù sto impazzendo*, scrive via mail a Pru, che non le risponde, perché si può impazzire a qualsiasi piano.

La Repubblica del Tabagistan

Chi fuma è obbligato a farlo all'esterno: una trentina di volte al giorno si forma uno scazzato capannello di persone sul marciapiede. Anche gli impiegati degli altri uffici si radunano qui per una sigaretta, ovviamente, e benché all'inizio alcuni di noi abbiano provato a scambiare quattro chiacchiere, adesso tra le varie fazioni ci si saluta appena. Loro non sono come noi.

Crease non fuma, ma ha preso il vizio per aumentare le possibilità di incontrare la DODAI. Anche i molestatori fanno così? Stando a Laars è così che Jenny ha conosciuto il suo ragazzo. Il *coso* lavorava in uno studio grafico all'ultimo piano, ma quando l'hanno licenziato ha aperto uno studio privato nel suo appartamento.

Gente che a malapena sa disegnare una linea retta adesso si spaccia per graphic designer, sbotta Laars. Il tono lascia intendere che di questo passo la grafica diventerà un mestiere obsoleto e le cose potranno emergere senza mediazioni: puri simboli umani, cartelloni pubblicitari scribacchiati a mano: tutto diventerà arte popolare istintiva.

I fumatori scrollano la cenere nel forellino in cima a un contenitore a forma di boa. A volte anche quando fuori non c'è nessuno, si vede uno spettrale filo di fumo che esce dal foro: segno di recente tensione e disperazione.

Momento di pathos intorno alle 14.30
Ma Excel sta impallando il computer di tutti?

L'alimentari sulla sinistra
Pru riceve un sacco di inviti alle feste. Non si tira mai indietro e regolarmente si lamenta. È la sua caratteristica più affascinante. Ce la immaginiamo uscire agghindata con un boa di struzzo e uno scialle. Ci piace anche il fatto che non chieda mai a nessuno di noi di accompagnarla. Com'è che riesce a condurre tutta questa vita mondana fuori dall'ufficio? È quello che dovremmo fare anche noi, ma di solito ci sembra di pretendere troppo da noi stessi.

Le feste sono sempre più spesso in zone oscure di Brooklyn. *Adesso vivono tutti a Brooklyn*, dice Pru, senza rendersi conto che *anche noi* viviamo quasi tutti a Brooklyn. Ci piace che lei si lamenti di Brooklyn: le distanze, la metro inaffidabile, spendere quaranta dollari di taxi per tornare a casa. Lei abita nei quartieri alti, in una casa che la prima moglie del patrigno ha comprato per due soldi negli anni Settanta e usava come pied-à-terre.

Il problema è che deve andare alle feste e le feste adesso sono a Brooklyn. Non ha la minima idea della topografia newyorchese, né di quali treni vanno dove. Le istruzioni per arrivare sono minuziose, vagamente ritualistiche. Lei se le segna e poi ha paura di perderle. Cerca di memorizzarle ma non ci riesce. Le tiene nella tasca della giacca e le consulta ripetutamente in metropolitana, schermando il foglietto con la mano. Rivelare ai quattro venti quella condizione di aliena potrebbe essere fatale. *Mettiti nell'ultimo vagone. Uscita dalla stazione, prendi la scala sulla destra. Percorri tre isolati a nord verso il grande orologio, restando sul lato ovest della strada. Sulla sinistra dovrebbe esserci un alimentari. Se vedi la lavanderia, sei nella merda.*

Pru dice: *Tradotto: percorri tre isolati e di' le tue preghiere.* Ha la sensazione che, se non segue le istruzioni alla lettera, ci lascerà la pelle e il suo corpo non sarà più ritrovato. Non vediamo l'ora di provare quest'emozione.

Budapest

A una festicciola Pru incontra nientemeno che il Primo Jack. Sembra un po' ingrassato, ma visto che prima era magro come un chiodo, adesso in pratica è un figurino. Ha una pelle d'alabastro. Non è mai stato bellissimo, ma secondo Pru adesso ha acquisito un certo fascino. La stempiatura è un bonus recente, ma tutto sommato non guasta.

Stiamo elaborando una teoria: appena uno lascia definitivamente l'ufficio, il suo aspetto migliora.

La festa era organizzata da uno che andava a scuola con Pru. A giudicare da come lo racconta, pare che abbiano avuto una storiella nel corso del primo anno, finché lui non si è portato a letto la sua migliore amica. All'inizio la festa era il massimo dell'imbarazzo, con le persone sedute in cerchio, a fissare le patatine nel piatto, ma alle undici si è presentata una caterva di gente e la situazione ha preso una piega appena più divertente. Mettevano la disco music e qualcuno si era travestito da scienziato.

La novità più eclatante è che il Primo Jack, non si sa come, adesso fa il consulente e guadagna più di tutti noi messi insieme. Quando Pru lo ha incontrato era appena tornato da un viaggio di lavoro a Budapest, che ha pronunciato in modo decisamente insolito.

E mi sa pure che ci stava provando.

Lizzie ha la faccia disgustata, ma Pru si limita a fare spallucce.

Più tempo con i gatti

Maxine convoca una riunione nella sala conferenze al quarto piano, poi la annulla. Preferisce incontrare ciascuno di noi vis-à-vis, uno ogni venti minuti, a partire da mezzogiorno. Non è un buon segno.

Ci avviamo lentamente verso la macchinetta del caffè, ma nessuno ha voglia di berne uno. In verità è da settimane che nessuno si fa il caffè. Le vaschette contengono un liquido cobalto, un detersivo chimico non tossico che teoricamente non lascia sapore di detersivo. Non ci convince. Preferiamo prendere il caffè allo Starbucks Sfigato oppure al nuovo sfizioso chiosco fricchettone che ha sostituito la bancarella dei tacos dietro l'angolo. Secondo Laars il chiosco fricchettone è gestito da membri di Scientology.

Quelli di Scientology non bevono caffè, dice Crease.

Ti confondi con i mormoni, dice Laars.

Jonah dice scherzando che si farà licenziare. *Vuo-*

le farsi licenziare, spiega, basta che gli diano la liquidazione. Se gliela danno, andrà di nuovo in Messico per qualche mese. Al ritorno, prenderà il sussidio di disoccupazione e passerà più tempo con i gatti. Mentre lo dice arrossisce, come se *gatti* fosse un eufemismo per qualcos'altro.

Dice che ha quasi finito la scuola serale. Questa è nuova. Mentre noi ce ne stavamo con le mani in mano a lamentarci, lui si lamentava ma intanto arricchiva il CV. Ce lo poteva anche dire. Magari ci saremmo iscritti anche noi.

<12>

Un crampo allo stomaco

Il lavoro straborda. Riusciamo a malapena a scambiare due parole. Pru non crede che Maxine voglia licenziarci. Dice che se tagliano ancora qualcuno l'azienda andrà a rotoli.

Tutti concordiamo. *Se ne saranno resi conto*, spera Laars. *Mica saranno* così *stupidi*.

E invece lo sono. Poi il tempo passerà, l'azienda sarà ancora a galla e noi ci domanderemo chi sarà il prossimo.

Maxine si dovrebbe licenziare da sola, dice Jonah. Quand'è che si è fatto crescere i baffi? Sono troppo chiari, molto più dei capelli.

Ho un crampo allo stomaco, dice Laars. Smanetta con i pulsanti della macchinetta, ma poi decide che non ne ha voglia.

Io mi fumo una sigaretta, dice Pru, diretta verso l'ascensore. Crease fa per accompagnarla, poi si ricorda che ha smesso di fumare. Vorrebbe uscire per vedere se passa la DODAI, ma l'altro giorno all'improvviso dal nulla è spuntata la sua ex alunna, e le sue grida disumane, *Crease!*, sono arrivate fino all'ultimo piano.

Ci tratteniamo ancora un minuto, nervosi. Arriva Maxine tutta impettita con un sorrisetto strano, maligno ma alquanto arrapante, e mentre passa la guardiamo tutti.

Quant'è bona, dice Laars. *Sembra scesa da un altro pianeta.*

Più tardi sentiamo Jonah che fa scorrere la bacchetta di legno sul dorso della ranocchia antistress messicana. Ancora non ci siamo pronunciati sui suoi baffi.

Qualche percentuale

C'è una riunione. Tira una brutta aria. Qualcuno si chiede: sogno o son desto.

Vorrei che ognuno di voi riflettesse sulle proposte che avanza, dice Testa di cavolo.

Dopo il lavoro, confrontiamo gli appunti tra un drink e l'altro. O forse tra una patatina e l'altra. Siamo troppo spompati per bere.

Secondo Laars, Maxine ha detto che l'azienda avrebbe dedotto il 15 per cento dallo stipendio lordo di ciascuno per coprire un imprevisto aumento dei costi, una tantum. Jonah ha capito che, per adeguarsi alle nuove tasse statali e comunali, era necessario un taglio del 15 per cento, su due retribuzioni, il che significa il 15 per cento di *ogni* busta paga, o il 7,5 per cento per un totale di 15? Cerchiamo di ricordare come funzionano le percentuali. Lizzie ha disegnato su un tovagliolo la stanghetta per fare le divisioni in colonna, ma non ha ancora scritto le cifre.

A Pru è rimasta la sensazione che Testa di cavolo insistesse per spuntare il 20 per cento da metà delle buste paga e il 10 per cento dall'altra metà, mentre lei, Maxine, gli aveva proposto un 15 per cento secco generalizzato. Laars invece ha l'impressione che avesse detto un 1,5 per cento, ma per il resto dell'anno. È il nostro piccolo *Rashomon*. O lo fanno apposta per confonderci le idee, o ci siamo completamente rimbecilliti. *I californiani ci faranno a polpette*, dice Jack II.

Voto di castità

L'autoricerca di Laars su Google ha raggiunto livelli vertiginosi. Continua a trovare materiale: altri omonimi, altre donne a cui è stato legato. Però sia i *doppelgänger* che le ex si divertono un casino più di lui e conducono una vita molto più interessante.

Ha il gomito dell'internauta. È alla frutta e deve darsi una svegliata. Ribadisce di nuovo il voto di castità a Jenny, quindi è probabile che l'abbia infranto di recente o che ci stia provando con lei (volendo, entrambe le cose).

Stavo pensando di andare a messa, dice.

Nel frattempo, Laars si ripropone di smetterla con gli stravizi, le inutili cotte e con quella ridicola ossessione per Maxine, l'autolesionismo illusorio. Le ricerche su Google finiranno! Diventerà un impiegato modello e si dedicherà alla salute dello spirito.

Testa di cavolo orecchia per caso quest'ultima parte e scoppia a ridere: *Uuh-uuh!*

Azioni valide

Lizzie trascina un'icona da un angolo congestionato dello schermo, ma la molla troppo presto. Finisce dentro il documento a cui sta lavorando, che guarda caso è il suo CV. L'icona torna di rimbalzo al punto di partenza con un *boinggg* mai sentito prima. Scopre che *Word non consente di inserire il file.*

Word può anche andarsene affanculo, borbotta tra sé. Ultimamente parla spesso da sola, ma forse lo facciamo tutti.

Più tardi prova a importare un grafico in un altro documento, ma si becca un altro rimprovero: *Operazione non valida per le note a piè di pagina.*

È tutto molto ridicolo – la risposta immediata, la severità del monito – eppure le viene la pelle d'oca. Chiama Pru, solo che per sbaglio compone il proprio interno. Il display, implacabile: *Impossibile chiamare il proprio numero.*

Le nostre macchine la sanno molto più lunga di noi, pensa Pru. Perfino i difetti e i guasti sono istruttivi. Ci rivelano i limiti dell'uomo, la natura del possibile. *O qualcosa del genere*, aggiunge Pru, che sta leggendo un romanzo sui cyborg ambientato nel 2012.

Il messaggio che più ci terrorizza è quello che salta fuori all'improvviso nelle rare occasioni in cui ci ricordiamo di chiudere tutto per il weekend, un attimo prima di spegnere il computer.

Sicuro di volere spegnere il computer?

Gli orrori di ortografia

Jonah incontra Jules in un bar sulla Ventiduesima: porta un cappellino da baseball e un paio di occhiali con la montatura enorme, un millimetro in più e sarebbe da pagliaccio. Jules racconta che il ristorante col tostapane è chiuso per restauri. La settimana scorsa è scoppiato qualcosa.

Almeno ho il tempo di finire la mia sceneggiatura, fa, sbattendo la mano su una sudicia pila di fogli in precario equilibrio sulla sedia accanto.

Malgrado la totale mancanza di interesse per tutto ciò che sia mai stato proiettato nella storia del cinema, a parte tre o quattro film, a quanto pare Jules stava lavorando sodo a una sceneggiatura, prima che lo mandassero a casa. S'intitola *Maledetti colletti*, specifica, e Jonah non capisce finché non vede la copertina.

L'amico di un amico del fratello minore di Jules è uno di quelli che hanno scritto quel film su un cavallo rapito. *Bisogna avere qualche aggancio nell'ambiente*, spiega.

Tutto ha preso corpo poco *prima* che lo licenziassero, durante il breve esilio all'isola del sesto piano. Otto voleva provare Glottis, un nuovo programma di riconoscimento vocale molto sofisticato, così lo ha installato nel computer di Jules e gli ha chiesto di dire qualcosa. Praticamente in quell'ultimo strano mese il suo lavoro è diventato quello. Leggeva articoli di giornali ad alta voce e interi passi di un libro qualsiasi. Otto controllava i risultati. Jules ha cominciato ad andare a braccio, parlando a ruota libera del tempo, della pausa pranzo, delle conversazioni origliate mentre veniva in ufficio, della sua infanzia. Usava voci diverse. Di lì a poco si è messo a scrivere una storia con alcuni personaggi ricorrenti. Era nata la sceneggiatura.

Jules faceva esperimenti per vedere fino a che punto, abbassando la voce, si ottenevano ancora risultati leggibili sullo schermo. All'inizio Glottis gli dava un sacco di errori, trenta ogni cento parole. Col tempo si è adattato alla sua voce, ha imparato a gestire le particolari cadenze di Jules, e la pronuncia farfugliata, e così il tasso di errore è calato in maniera significativa.

Eppure c'era un vago nonsense nelle parole che apparivano di tanto in tanto: giustapposizioni surreali, come quando il personaggio di uno sbirro dice a un serial killer: *Mantieni la salma* invece di *Mantieni la calma* o il ricorrente saluto *Salvi!*

A volte quando Jules voleva aprire un file pesante con Glottis, sullo schermo appariva: *File pensante.*

Anche il titolo *Maledetti colletti* è nato così. *Diciamo che è ispirato a una persona che ho conosciuto, un cliente del club*, dice Jules. *Ma non mi va di parlarne.*

Un poco di buono, fa Jonah.

Peggio – questo sembrava un porco di buono.

Jules non vuole entrare nei particolari, come se temesse ritorsioni.

E così durante le ore di lavoro dettava materiale a getto continuo. Ogni sera condensava quel delirio in mezza pagina. Quand'è stato licenziato aveva già compilato quasi centocinquanta pagine di dialoghi serrati, demenziali e agrodolci.

Adesso calcola che gli siano rimaste da finire soltanto venticinque pagine prima di chiudere la prima stesura e cominciare la seconda. Ma chissà perché, adesso che non lavora in ufficio è più difficile scrivere.

Ci vuole il gusto del proibito, dice. Paragona il processo creativo a un'ostrica che ha bisogno di sabbia per produrre una perla. *E poi manca il finale.*

Attribuisce il blocco dello scrittore al fatto di non avere più un sistema di riconoscimento vocale. Glottis costa un pacco di soldi, così come le cuffie con microfono ad alta definizione. Gli manca quel mormorio a mezza bocca, la magica apparizione delle parole sullo schermo abbagliante, simili a una processione di formiche che si materializza da una pozza di latte. Ma soprattutto gli mancano le formulazioni scorrette, i lapsus tra pensiero ed espressione. Gli orrori di ortografia erano la sua ispirazione.

Jules sulle prime nicchia, ma poi lascia che Jonah legga qualche scena. Essenzialmente è una storia di fantasmi ambientata in un club per soli uomini sull'Undicesima Strada. Il protagonista, Jude, sembra modellato su Jules, dalle basette ben curate ai piedi. Il resto è un po' difficile da seguire, ma sembra che si svolga nel nostro ufficio, a parte il fatto che il capo sta simpatico a tutti e gioca a basket con i dipendenti.

Ma forse ho letto una sequenza onirica, ci confessa poi Jonah.

Suonare la rana

Ultimamente Jonah tiene sempre la porta chiusa. Starà lavorando anche lui a una sceneggiatura? Ascolta musica lirica a pieno regime?

A volte ci dimentichiamo di lui per giorni interi, finché non sentiamo il lamentoso richiamo della ranocchia antistress messicana: *Takata takata takata, kat-kat ka-tak.*

Mai dire mouse

Tre di noi sono in riunione con Testa di cavolo. Lui canticchia in modo stonato, apre e chiude alcuni file sul desktop, sorride con aria malinconica mentre studia i grafici. Come alcuni di noi, sulla scrivania ha un secondo computer, più vecchio, e di tanto in tanto getta un'occhiata anche a quello. *È un periodo di transizione*, gli piace dire. Il nuovo sistema non è ancora stato implementato e nessuno vuole sbarazzarsi dei vecchi dati, che non si sa mai. Nessuno vuole mai sbarazzarsi di niente, ma una volta fatta pulizia di fronte al desktop sgombro si prova una sensazione di benessere.

I tecnici hanno sempre l'aria isterica, sbraitano nelle ricetrasmittenti, e quindi non te la senti di scocciarli troppo. I veterani come Jonah sanno che è *sempre* un periodo di transizione.

A un certo punto Testa di cavolo ha un mouse diverso in ogni mano, e li clicca in contrappunto. Quando fa un doppio clic su un documento, la finestra vola in fondo allo schermo come un pipistrello. Testa di cavolo borbotta mentre si sposta da un database all'altro.

Ogni volta che salva qualcosa, il computer emette un suono, come una moneta lasciata cadere in uno xilofono.

Si spedisce via mail un pesantissimo file Excel dal computer vecchio a quello nuovo. Ma quello nuovo non riesce ad aprirlo. Scarica un aggiornamento di Excel sul computer vecchio, che lo fa impallare.

Spiegatemi perché l'ho fatto, dice, riavviando.

Osserviamo la libreria. Adesso c'è una foto sbiadita di Sheila in una cornice di legno nero costellata di conchiglie. Ci scambiamo qualche occhiata, cercando di interpretare lo sguardo degli altri. Uno sembra che dica: *Gran fica*, un altro *Strana, la cornice*, un altro *Oddio, è morta?*

Alcuni libri sono spariti. Tra i nuovi titoli c'è una

enorme guida al bird-watching e un grande volume illustrato in cui gente di ogni parte d'America si fotografa le scarpe a diverse ore della giornata. Testa di cavolo continua a ronzare *mmm*. Notiamo una vena che gli pulsa sulla fronte. Ce ne dimentichiamo sempre, finché non la rivediamo. A un certo punto si rilassa. Quando il fax all'angolo opposto dell'ufficio comincia a ricevere, inarca un sopracciglio in modo comico. In realtà, se l'è spedito da solo.

Uuh-uuh!

Strappa il tabulato dalla macchina.

Leggete e piangete, dice. Come la maggior parte delle sue affermazioni degli ultimi tempi, o è completamente senza senso o è vagamente funesta.

Momento di pathos, seconda puntata

Il giorno dopo, venerdì, Testa di cavolo esige da Laars un file dell'anno scorso. Il sistema di cartelle di Laars è talmente bizantino, i metodi di denominazione talmente soggettivi e la sua memoria talmente scarsa che spesso, se sta cercando un file più vecchio di qualche settimana, è costretto a lanciare una ricerca in tutti i contenuti del computer. Cerca di indovinare quale parola potrebbe comparire nel titolo del documento, e poi preme Cerca.

Non capisco, risponde il computer.

L'aria di mistero

Chissà perché, Jonah usa una tazza con su scritto *Joan*. È un po' che ce l'ha, ma Pru ha notato la scritta solo di recente.

Ehi Joan, dice Pru.

Jonah si limita a sorridere e coltiva la sua aria di mistero.

Le lettere sono in un font anni Ottanta terribilmente datato, un rosso non del tutto corsivo, come quello che usavano sulla pubblicità ingannevole per le multiproprietà a Myrtle Beach. La tazza è bianca con delle righine orizzontali colorate sopra e sotto il nome.

Come ti butta, Joan?

Ha l'aria di stare per allungare una mano verso la ranocchia antistress messicana.

Crease dice che *Joan* è il nome della cicciona che viveva con Jonah, ormai ex, e che adesso vive in Texas con quella peste del figlio illegittimo. Parola di Jules.

Ma Pru continua a chiamarlo *Joan*.

Il lungo addio

Testa di cavolo sta lasciando l'ufficio per il weekend. Ha un passo scattante, una giacchetta appesa al braccio e un sacchetto della panetteria italiana che gli penzola da un dito.

Divertitevi, grida a Jonah mentre gira l'angolo della segreteria, perfetta immagine di cordialità manageriale.

Che fai di bello questo weekend?, chiede a Pru, senza neanche fermarsi, andando dritto verso l'ascensore. Lei risponde che probabilmente andrà al cinema e poi a una festicciola a Brooklyn. Lui annuisce e fa: *Bel programma, non fare niente che io non farei.*

Fa l'occhiolino a Lizzie e si sbraccia verso Laars, poi preme il tasto Giù. L'ascensore ci mette un po' ad arrivare. Testa di cavolo batte il piede nella scarpa da tennis a tempo con la canzoncina allegra che ha in testa. *Cazzo*, sbotta Testa di cavolo appena si apre la porta. Ha dimenticato qualcosa. Torna indietro di corsa, senza rivolgere la parola a quelli che ha appena salutato. Apre la porta, agguanta la valigetta e scatta verso l'ascensore, che è già sparito da un pezzo.

L'epopea del benservito

Abbiamo varie restrizioni dietetiche e particolari avversioni: questo, generalmente, rende difficile organizzare pranzi collettivi. Quindi la decisione di pranzare insieme dev'essere presa d'impulso.

Jill è in Siberia e nessuno ha voglia di salire a recuperarla. Troppo lontana dall'ascensore. Potremmo mandarle una mail, ma nessuno lo fa. Pru dice che forse Jill non c'è, s'è presa un giorno di permesso per aiutare un'amica a fare un trasloco. Questo ci solleva da ogni senso di colpa.

Le grandi speranze che riponevamo nel nuovo ristorante cinese si infrangono appena arriva la zuppa. E tutto sa di detersivo. *Almeno sappiamo che è pulito*, dice Jonah.

Se lo dici tu, Joan, dice Pru.

Oh, piantatela, dice Lizzie. *Eddai.*

Parliamo di come essere licenziati potrebbe non essere la cosa peggiore. Calcoliamo la liquidazione, la sommiamo a quanto prenderemmo con il sussidio di disoccupazione. La somma è terribilmente vicina a quanto già guadagnano alcuni di noi. *È disumano*, dice qualcuno.

Per tre mesi potrebbe bastare, sospira Laars. *Sempre che non mi capiti un incidente.*

In che senso, "bastare"?, chiede Lizzie.

Strappargli la liquidazione non è così semplice, dice Jonah. C'è una clausola di inadempienza che spesso si divertono a usare. Jules se l'è cavata decentemente, ma Jason non ha visto un centesimo. Il Primo Jack aveva firmato un accordo sul mancato preavviso e gli è andata così così. Impossibile fargli vuotare il sacco su com'è finita la cosa e sul motivo del licenziamento, anche se giuri di non dirlo *a nessuno*.

Pru dice che stiamo costruendo un'epopea del benservito. L'idea è quella di ripensare al periodo di lavoro, mettere in rilievo tutti gli abusi subiti, far tesoro di ciò che si è appreso e usare i pro e i contro per reggere mentalmente una serie di eventi che culmineranno nell'espulsione. La rescissione del contratto è quasi una rinascita, una liberazione, un'espansione di orizzonti.

Appena cominci a costruire l'epopea del benservito, è soltanto questione di tempo: cominci ad abituarti all'idea.

Restiamo senza parole. All'improvviso ci pentiamo di non avere invitato Jill: un colpevole rimorso collettivo. Parliamo di Jules e della sua sceneggiatura, *Maledetti colletti*. Spettegoliamo sulla vita sessuale di Maxine. Laars racconta del talk-show che ha visto ieri sera, una roba drammatica sugli abusi, o una roba drammatica sul cancro, forse una roba drammatica sul cancro con abusi, c'era quel tizio di *X-Files* e la protagonista di un film francese che nessuno di noi ha visto. *Dovrei scrivere un episodio pilota*, dice. Il suo nuovo tormentone.

Jack II annuncia di aver aperto un blog. Ci dà l'indirizzo, ma nessuno se lo appunta.

Il biscottino della fortuna di Pru trasuda ottimismo: *Siete i padroni del vostro destino*.

Sul retro spiega come si dice *novanta* in cinese. Non siamo sicuri della pronuncia, anche se c'è un accento su quasi ogni lettera. E poi sembra un'informazione singolarmente inutile. Immaginate di andare in Cina sapendo dire soltanto un numero. Qualcuno nella fabbrica dei biscottini batteva chiaramente la fiacca, o forse si è limitato a tradurre i numeri da uno a cento.

Pru ripiega con cura il bigliettino nel portafogli. Dice che questa settimana ha consultato l'oroscopo tutti i giorni.

Ci viene in mente che Jules mangiava i bigliettini, se voleva che si avverassero. Una volta ne ha trovato uno che diceva *Nulla si crea nulla si distrugge*. Non ci ricordiamo se l'ha mangiato o no. Un mese dopo era diventato lo slogan di Occupazione Parallela.

La punteggiatrice

Quando torniamo in ufficio, Jill è sparita. Non l'avremmo mai scoperto – come in una di quelle storie in cui un cadavere non viene trovato per settimane, e poi all'improvviso si sente la puzza – se non avesse lasciato un messaggio sibillino sulla scrivania di Jenny. Su carta da lettere di Hello Kitty. Scrive che voleva mandare un messaggio a ciascuno di noi, ma il suo account di posta elettronica è già stato eliminato e la stanno scortando fuori dall'edificio.

Purtroppo me ne vado. Per favore annaffiatemi le piante

Ma chi è che l'ha scortata? Nessuno di noi ha mai

109

assistito al defenestramento dei nostri ex colleghi, come se i tempi fossero calcolati al secondo per minimizzare la pubblicità. È Testa di cavolo che schiaccia un pulsante per convocare bodyguard in abito scuro, con bicipiti gonfi e pistole elettriche? Forse è Testa di cavolo stesso che ti afferra per un braccio e non dice una parola mentre ti sbatte fuori dalla porta.

Già parliamo di Jill al passato.

Per favore annaffiatemi le piante

Non c'è il punto. Chissà perché è questa la cosa che fa più male: era la persona più scrupolosa del mondo, per quanto riguarda la punteggiatura. Ce la immaginiamo strappata a forza dalla sedia, una presa maschia alle spalle. La *e* finale sembra sbaffare verso l'alto in modo innaturale.

Il carrello della posta resta incustodito nell'atrio.

È perché non ha compilato l'autovalutazione, sostiene Crease. Ci viene in mente il componimento scritto lasciato in bianco. Perché non ha scritto niente?

Jenny è percorsa da un brivido. Ha l'improvvisa premonizione che verrà trasferita alla scrivania siberiana, al posto di Jill. Nel giro di cinque minuti sembra già aver perso cinque chili. È struccata e qua e là le si sono rizzati i capelli.

Per favore annaffiatemi

Jenny dice che ieri ha intravisto qualcosa, un Post-it sulla scrivania di Testa di cavolo. C'era scritto solo: *Jill?* Il nome era sottolineato. Ma la calligrafia non era di Testa di cavolo. È stata una scelta di K.?

Per favore annaffiate

Jenny dice di aver anche preparato una conference call tra K., Testa di cavolo e un numero della California. È durata soltanto dieci minuti. La porta era chiusa e non è riuscita a sentire una parola. Nessuno poteva immaginare una cosa del genere, in quel momento. Testa di cavolo si avvicina fischiettando. Quando ci vede, interrompe il motivetto, sbarrando gli occhi come uno psicopatico. Poi scappa in corridoio e tenta di mascherare la fuga facendo strani movimenti circolari con la testa. Questo dovrebbe rappresentare il movimento naturale di un tizio spensierato, uno che è uscito a farsi un innocuo giretto per l'ufficio, senza sensi di colpa. Lo sentiamo andare a sbattere contro il carrello della posta abbandonato e lasciarsi sfuggire un *cazzo*.

Per favore

Pru mormora quell'unica parola cinese, *novanta*, come un mantra impotente. Jonah torna al lavoro.

Laars contempla le pareti, stringendo i pugni.

Jenny fissa la porta di Testa di cavolo, ascoltando il ronzio del condizionatore. Manca solo un'ultima goccia per far traboccare il vaso. Ma di questi tempi ogni goccia è l'ultima.

Sentiamo: *Takata-takata-tak.*

<||>
SOSTITUISCI TUTTO

I. Manicomio

Roba da pazzi! – Era un'idea assurda. *– In questo momento sono talmente* fuori di me *che non riesco nemmeno a connettere. – Sembrava* pura follia *– Quella è isterica.*

Spesso parlavano così in ufficio, tutto sintonizzato sulla retorica del tracollo.

Ma le cose non erano mai *così* pazzesche. Non erano all'altezza di una catastrofe. Bastava che qualcuno mangiasse due ciambelle, apriti cielo! *Quello è fuori di testa.*

Ogni minima stravaganza poteva essere giudicata *assurda* e *senza ritegno.* Questo linguaggio li convinceva di essere più interessanti di quanto sospettassero. L'essenziale era non contemplare mai la possibilità della loro innata e assoluta monotonia.

II. Gramo

In generale, questa analisi restava valida. Problemino: quando salì a bordo Gramo, cominciarono a tenerlo d'occhio e si scoprì che era matto *davvero*, ma proprio matto come un cavallo.

All'inizio non era così ovvio.

Lo chiamavano Gramo perché dopo qualche settimana che lavorava lì, mentre gli altri si erano a malapena resi conto che c'era un nuovo arrivo, telefonò a Pru con una domanda urgente su PowerPoint. Il numero di interno di Pru e quello del reparto informatico differivano di una sola cifra.

Disse: *Sono Gramo, quello con gli occhiali, in fondo al corridoio.* Pru stava già per fargli una battuta.

In realtà il nome era *Graham*, ma aveva un forte accento inglese. Lei non aveva mai usato PowerPoint, ma andò lo stesso ad aiutarlo.

III. Un nuovo modo di dormire

Lo spazio dove Gramo aveva il cubicolo era tutto un percorso a ostacoli, un labirinto insidioso. Monitor con un dito di polvere, copritermosifone lasciati in un angolo. Tubi di cartone sparsi qua e là sul pavimento, per uno scivolone da cinema muto. Una mezza bicicletta incatenata a un tubo con l'isolante che veniva via. Da quelle parti era tutto leggermente più buio (e ruvido, al tatto). C'era un fiore di plastica infilato in una bottiglia di vino senza etichetta. Sembrava il magazzino di scena di una compagnia teatrale con sede a Pompei.

Una volta ci viveva una bella squadra lì dentro, ma tre di loro erano rimasti vittime di un'ondata di licenziamenti un paio d'anni prima, quando Testa di cavolo credeva d'essere un capitano di Marina. Diceva cose tipo *Questa ciurma ha bisogno di disciplina* e *La ragazza rema contro* e spesso evocava il *Titanic*. Anche l'abbigliamento aveva preso una piega marinaresca, molto blu navy, molte strisce. Jules lanciava scommesse su quando avrebbe messo una benda sull'occhio.

Poi cominciò a usare termini come *fattibile* ed *egregio*, che prendeva dalle e-mail con Parola del Giorno. Più di recente, nel repertorio cavolistico erano entrate espressioni come *A volo d'uccello* e *Dovremo ingoiare il rospo*.

Non riuscivano mai a ricordare i nomi degli ex colleghi. Forse c'era un David, una Dawn o una Donna, e un tipo alla John Wayne che si chiamava *Dirk* o qualcosa del genere.

La memoria si sta esaurendo, avvertiva il computer di Jonah ogni due o tre settimane.

La cosa più assurda: *un'ascia*. Sembrava vecchia di vent'anni. Una volta Laars la prese in mano, credendo che fosse di plastica, tipo quelle del carnevale. Gli sfuggì di mano e il manico, pesante come un macigno, gli fratturò un dito del piede. Tutti pensavano che prima o poi qualcuno l'avrebbe fatta sparire, ma nessuno ebbe il coraggio.

Alla fine Pru trovò Gramo accasciato sulla scrivania, con gli occhiali sopra al monitor. Il salvaschermo era la città in fiamme.

Gramo teneva un occhio aperto. Spiegò che stava cercando di dormire come un'anatra. Le anatre riescono a spegnere metà del cervello alla volta. Per gli uomini è più difficile, perché abbiamo gli occhi sullo stesso piano. Disse che le rane toro non chiudono mai gli occhi.

Quella storia del sonno, delle anatre e delle rane toro: Pru non capiva perché, ma quel monologo l'aveva mandata su di giri.

In più lui portava una camicia a righe su cui sembrava fosse passato un esercito, con una cravatta sempre allentata (che sembrava anch'essa calpestata). Dalla massa incolta di capelli spuntavano due graziosi ciuffi improvvisati. L'aggettivo che poteva descrivere meglio il suo aspetto era *arruffato*.

Questo combaciava con l'idea stereotipata che Pru si era fatta degli inglesi. Il giorno dopo annunciò di essersi innamorata. Piccolo problema: Gramo l'aveva scambiata per un tecnico. Continuava a chiamarla per questioni di poco conto. Lei non sapeva come dirglielo.

Più tardi, nel corso della giornata, Gramo bloccò Lizzie in corridoio e le chiese dov'era il distributore dell'acqua, solo che lo chiamò in tutt'altro modo... Come cavolo si dice in inglese "distributore dell'acqua"? *Acquifero? Idroristoro? Dispensatore di liquidi?*

Lizzie confidò a Pru di esserne affascinata anche

lei, nonostante l'odio giurato per tutto ciò che era inglese. Scherzavano, ma anche no. Chiaramente, Lizzie sperava che Pru tornasse a concentrare le sue attenzioni su Crease, ma Crease era partito per la Donna Orientaleggiante Dall'Accento Inglese.

Ma non dovremmo essere ancora in lutto?, chiese Laars.

Pru e Lizzie sgranarono gli occhi, stile rana toro.

Per Jill, specificò.

Jill?

Quel venerdì Gramo chiamò Pru, ma lei non era alla scrivania. Le lasciò un messaggio, ringraziandola di nuovo per l'aiuto con PowerPoint e chiedendole una mano con un altro programma. La voce era al tempo stesso euforica e svogliata, e ben presto s'impappinò. Il messaggio era un simpatico pasticcio. Si chiudeva così: *Insomma... volevo dire che... be', te ne parlo dopo pranzo!*

Pru conservò il messaggio in segreteria per più di una settimana. Era così carino. Dopo quasi tre anni in ufficio, ancora non aveva dimestichezza con la casella vocale e non sapeva come saltare un messaggio o come archiviarlo. Questo significava che quando ne riceveva uno nuovo, doveva per forza ascoltare quello di Gramo per intero. Non le dispiaceva, tant'è che a volte lo ascoltava solo per il gusto di ascoltarlo. Una volta lo fece sentire a Jonah, che commentò: *È patetico.*

Lizzie e Pru fecero una scommessa amichevole, immaginaria, passiva-aggressiva: quale delle due Gramo avrebbe invitato per prima a uscire con lui.

E se lo chiede a Jenny?, domandò Lizzie.

Chi?

Ci sarebbe da notare che, anni prima, Lizzie e Pru erano state compagne di stanza per quasi cinque minuti, anche se preferivano non parlarne. Lizzie lavorava in ufficio da sei mesi quando Pru iniziò a stare da lei. La sorellastra di Pru e il miglior amico del fratello di Lizzie si erano conosciuti alla facoltà di scienze forestali. Pru si era trasferita da Boston a New York per fare l'università. Alla fine sloggiò da casa di Lizzie perché voleva stare più vicina al campus. O almeno così disse. Girava voce che l'allora ragazzo di Pru, un graffitaro dalla voce stridula, facesse lo splendido con Lizzie, e Pru voleva stroncare sul nascere qualsiasi storia parallela. Finì tutto in una bolla di sapone, perché subito dopo il trasferimento di Pru, lui si arruolò nei Corpi di Pace (o millantò di averlo fatto).

Quindi c'era già un precedente, tra loro. Erano molto diverse, o almeno così volevano far credere a Gramo. Lizzie era una persona molto concreta, o almeno godeva di questa fama. Di solito ai neoassunti dicevano: *Lei è una con i piedi per terra*, inquadrandola nella mente fragile del nuovo arrivato.

Lizzie dava l'impressione di essere superorganizzata. Durante le riunioni stilava continuamente elenchi settimanali di cose da fare, sei caselle marcate L, M, M, G, V, S/D su un blocchetto per appunti, che riempiva di impegni a lettere minuscole. In realtà significava che la riunione le dava l'abbiocco e che per non crollare doveva continuare a muovere la penna. Sulla scrivania teneva uno spazzolino da denti in un pazzesco bicchierino anni Sessanta, per far sapere al mondo che l'ufficio era la sua casa.

Dal canto suo Pru aveva una gestione spartana del cubicolo, più facile da abbandonare in caso di licenziamento improvviso. Aveva sempre un'aria languida ma decisamente mondana, come se di giorno si avvilisse in quel sordido ambiente per frequentare il jetset di notte. Questo avrebbe potuto spiegare la sua tardiva scoperta di Brooklyn. Jules sosteneva di averla vista nelle pagine della cronaca mondana, in posa a un gala di medici con due babbioni e uno stetoscopio scolpito nel ghiaccio. Forse uno dei due era un barone.

Pru aveva un cognome diverso da quello del suo secondo patrigno (il tizio il cui nome era preceduto da *palazzinaro e filantropo* quando appariva sui giornali). Aveva quasi cinque volte la sua età e negli articoli veniva regolarmente immortalato mentre s'imbarcava sul suo jet, si rilassava a bordo del suo jet o sbarcava dal suo jet.

Era il defunto Jules, ovviamente, ad aver archiviato mentalmente il dossier su Pru, perciò alcuni fatti erano poco attendibili. Anche Jason, quando ancora era in ufficio, si era fissato sul suo pedigree e sosteneva che avesse pagato cinquecento dollari per una messa in piega.

La voce corrente era che Pru avesse frequentato un college nella zona di Boston. Erano tutti abbastanza certi che si trattasse di Harvard, ma lei non aveva mai ammesso niente in un senso o nell'altro. Laars, il fiore all'occhiello dell'Aorta College, ce l'aveva a morte con Harvard, senza un motivo. O forse il padre e il fratello erano andati lì e lui li odiava.

IV. Il sussulto negato

Gramo non chiamava mai Russell col soprannome ufficiale, Testa di cavolo. Si limitava a ridere facendo *Ahhh,* AH-*ah*, quando uno degli altri lo usava. I nuovi dipendenti erano quasi sempre intimiditi all'idea di affibbiare nomignoli e additarsi a vicenda con un sospiro. Persino Laars era stato così, all'inizio. Idem per Crease. Idem per Jill. Li avevano dovuti svezzare.

La posizione di un nuovo arrivato era comprensibile. Di primo acchito, Testa di cavolo non sembrava così malvagio. La sua cattiveria era sottile, profonda, contraddittoria, al punto che periodicamente si domandavano se in fondo non l'avessero giudicato male. Si pensò a un complesso Jekyll/Hyde. *È il lavoro che lo incattivisce*, diceva a volte Lizzie.

Per un po' furono tutti affascinati da Gramo. Era come un giocattolo nuovo. Mangiava di continuo, eppure rimaneva invidiabilmente magro. Portava sempre un blazer di tweed o di velluto a coste, buttato sulla spalla o appeso allo schienale. Non inforcava mai gli occhiali: o li teneva infilati nel taschino della camicia (come un gigantesco insetto addormentato) oppure se li faceva penzolare dalla bocca. A volte, mentre parlava, puliva le lenti con un panno grigio. I capelli erano folti e scuri, eccetto una spruzzata di bianco sulla nuca, di circa tre centimetri quadrati. Pru gli dava trentacinque anni. Poteva anche darsi che ne avesse quarantacinque, ma *portati bene*. Forse era un po' duro d'orecchio. Ti chiedeva sempre di ripetere le cose e durante le conversazioni inclinava invariabilmente la testa un po' a destra, come un cane che ha scoperto un nuovo tipo di pappa. E se doveva fare quattro passi, si muoveva come se fosse appena uscito da una discoteca, con la musica che ancora gli ronzava nelle orecchie.

Le prime parole che rivolse a Laars, a Jonah e a Jack II non furono *Ciao* o *Piacere*, ma *Oggi che giorno è?* Non si ricordava mai la data. Forse non conosceva nemmeno l'*anno*. E sembrava che per lui le persone fossero più o meno intercambiabili.

Raccontava aneddoti che di solito erano imperniati su nomi che non conosceva nessuno: attrici di teatro inglesi degli anni Quaranta e grandi calciatori, leggende di Fleet Street e deputati.

Laars fu costretto a cercare *Fleet Street* su Google. Avrebbe giurato che era la via dove abitava Sherlock Holmes e aveva persino scommesso cinque verdoni con Pru, ma aveva preso una cantonata.

Un paio di settimane dopo, Gramo sollevò un polverone quando passò da tutti a chiedere allegramente cosa stavano combinando di bello. *Quindi in sostanza sei un'inutile merdaccia*, diceva scherzando al termine della chiacchierata. Il tono era anche spiritoso, ma dopo un paio di minuti cominciava a diventare un po' snervante. In francese forse esiste una parola apposta, sulla falsariga di *esprit d'escalier*.

Potevano restare ad ascoltarlo all'infinito, ma capire quel che scriveva era un inferno. Le sue mail erano incredibili. A volte c'era un errore di ortografia quasi in ogni parola e la punteggiatura era tutta sballata.

> Grzaie, per la chiachieratta! Mi a fato piacere.
> Non riesco a srampare questo docmento.
> I;o ersco per un caffeè torno ale 10.

A volte il significato era indecifrabile. A quel punto o se lo facevano spiegare da lui o lo ignoravano e basta. *Non capsjco come dovrei stile sto.* (Sì, ciao).

La migliore di tutte, quella che alcuni ripetevano quando non era a portata d'orecchio o persino quando lo era, era *Tienimi in formato*. L'aveva scritto a Crease a proposito di un progetto che nessuno di loro avrebbe preso in considerazione prima della primavera.

Crease diceva scherzando che Gramo era costretto a filtrare la posta in uscita con un turbocorrettore ortografico, un programma sviluppato dai militari che costava quattrocento dollari all'ora e andava aggiornato due volte all'anno.

Ogni volta che le luci al neon sfarfallavano, qualcuno diceva: *Gramo sta usando di nuovo il correttore ortografico*.

Gramo trovò qualcosa di meglio che un correttore ortografico di tipo industriale. Domandò a Lizzie se poteva aiutarlo a correggere le bozze. Disse che non era abituato a quelle tastiere. Forse si era impratichito su quelle non-QWERTY o su quelle che sembrano spezzate in due, con le dita delle mani che formano un angolo di novanta gradi. Forse aveva le mani troppo grandi o troppo piccole. Disse che aveva pensato di chiederlo a Pru, ma gli era sembrata un po' nervosa. Le sue testuali parole furono *nervosa e quant'altro*. Un'ora più tardi Lizzie si era già pentita di avere accettato. I resoconti e le sintesi di Gramo – documenti che doveva inviare in formato cartaceo, con tanto di firma – le ricordavano certi brani del *Finnegans' Wake*. Mentre correggeva le bozze lui non le staccava gli occhi di dosso, e lei si sentiva colare il sudore sulla fronte. Quando Lizzie alzò gli occhi, lo vide passarsi la lingua agli angoli della bocca, e più tardi si domandò se le fosse piaciuto o meno. Non era facile essere una *coi piedi per terra*.

Lizzie ben presto tornò allo stile di abbigliamento che aveva all'inizio. Pru lo definiva un look da Bibliotecaria Eccentrica. Aveva sempre una matita infilata dietro l'orecchio o impalata in un improvvisato chignon.

Jonah e Laars furono i primi a disilludersi su Gramo. Laars trovava immorale che Testa di cavolo avesse assunto qualcuno un attimo dopo essersi sbarazzato di Jill. Certo, Jill non era un fulmine di guerra, ma era solida, una che si impegnava a fondo nel proprio lavoro. Il ruolo di Gramo era poco chiaro: Laars sospettava che lo pagassero più di quanto avessero mai pagato Jill.

Il punto è che non sta mai zitto, si lamentava Jonah con Crease. *E metà delle volte neanche capisco quello che dice.*

Probabilmente il nervosismo di Jonah nasceva anche dal fatto che un tempo, chiudendo una telefonata, diceva sempre *bye bye*. Adesso, davanti a un vero inglese, non riusciva più a dirlo senza sentirsi idiota.

In realtà, quando lo diceva Gramo, sembrava piuttosto: *bau bau*.

Ormai quasi tutti si erano abituati ai baffi di Jonah. Ciò non significava che li apprezzassero. Jonah non era nemmeno sicuro che *a lui* piacessero, ma raderli equivaleva ad ammettere la sconfitta.

Laars nutriva dei sospetti sul rapporto tra Gramo e Testa di cavolo. Erano amici? Sembrava che avessero già lavorato insieme da qualche parte. E in più li aveva visti portare borse da atletica lo stesso giorno: facevano una partitina a tennis tutte le settimane?

Qualcuno sentì Testa di cavolo rivolgersi a Gramo così: *Come stai, Scheggia?*. Bastò un istante per capire: *Graham*. Testa di cavolo non aveva mai elargito un soprannome a nessuno, questo li lasciava curiosamente avviliti.

Jenny rivelò di avere involontariamente sentito che Testa di cavolo diceva a Gramo: *Operazione JASON – tutto a gonfie vele!*

Operazione JASON? Naturalmente diedero per scontato che c'entrasse il disco rotto che Maxine aveva buttato nel cestino.

Jonah chiese a Jules di contattare Jason, ma lui non sapeva più come fare. Gli era arrivata voce che si fosse trasferito a Madrid. Cominciarono a dubitare che Jenny avesse sentito quello che aveva sentito. Cominciò a dubitarne *perfino lei*. Disse che il suo ragazzo noleggiava tutti quei film di spie.

Un giorno Pru ricevette un misterioso messaggio da Gramo:

primopiano?ds\\\\\\\\\\\\\\\J\A\S\\\

Andava avanti così per un po', e si concludeva con

J\\\\\\\\\\\\\\\\O\
??????？//////

Sembrava un Rorschach tipografico. Gramo si giustificò dicendo che gli sembrava di aver già spedito il messaggio, poi si era accorto che il tasto dello slash era sporchissimo e si era messo a strofinarlo con una pallina di carta.

Ma questo ancora non spiegava *primopiano?ds*.
Per non parlare di *J/A/S*.

Una volta Gramo e Lizzie andarono in pausa pranzo insieme, da soli, così per caso. Si erano incontrati all'ufficio postale e avevano deciso di fermarsi al nuovo chiosco del fish and chips, per assaggiare la cucina inglese. Le patate furono servite in un cartoccio fatto con copie recenti del «Telegraph» e del «Guardian», sommate al costo totale. Il pranzo andò benone, qualche risata, forse non tutte le scintille che avrebbe sperato Lizzie. Era deliziosa quando diceva *scintille*. Il cibo non era niente di che, ma almeno la Diet Coke era gassata al punto giusto.

La botta arrivò sulla via del ritorno, a circa mezzo isolato dall'ufficio, quando Gramo cominciò ad allungare la falcata. Lei gli chiese dove stava andando, mentre arrancava per tenersi al passo. Lui rispose che probabilmente era meglio rientrare separatamente. Non voleva che qualcuno si facesse idee sbagliate sul loro conto.

Stava facendo il prezioso? A lei non restava che fare una risatina nervosa. A dire il vero aveva voglia di piangere o di prenderlo a calci negli stinchi, ma quell'improvvisa volubilità l'aveva reso ancora più affascinante. Tentò di immaginare il genere di donna che poteva piacergli e nella sua testa si materializzò Pru con un pagliaccetto leopardato.

Lizzie preferiva le gonne a tubo, le matite nei capelli e le camicette con i polsini che si abbottonano a metà avambraccio.

Il giorno seguente Gramo fece capolino nell'Alcova Rossa, dopo pranzo. Pru e Lizzie stavano studiando il catalogo di Victoria's Secret senza traccia d'ironia. Jenny sorseggiava un latte al tè verde e sfogliava «Allure» del mese precedente, soffermandosi su un articolo che parlava di latte al tè verde.

Gramo fece un colpo di tosse finto-imbarazzato e disse: *Signore*. Aveva una domanda importante, forse la più importante in assoluto.

Si ricomposero immediatamente tutte quante, spingendo il mento in avanti con aria seducente, sgranando gli occhi.

Non so come dirlo…

Sì…?

Voleva sapere cosa significava quando c'era una cassetta per gli attrezzi rossa che lampeggiava sulla barra del menu di un documento Word. Lizzie avrebbe preferito che Pru non fosse lì in quel momento, e viceversa. Si offrirono entrambe di dare un'occhiata. Jenny restò dov'era perché doveva tornare alla sua scrivania nel giro di un istante. Cominciava a essere un po' diffidente nei confronti di Gramo.

Gramo le trascinò a grandi falcate verso la sua tana. La testa aveva un'inclinazione innaturale, come se avesse il torcicollo per aver bevuto in giro fino all'alba. L'andatura era sciolta, il passo di un turista che passeggia sulla battigia. Onde invisibili lambivano le punte dei piedi. L'harem si adeguò a quell'incedere sognante mentre Gramo elencava nei minimi dettagli gli innumerevoli problemi che aveva con quel documento.

Nel tragitto entrarono quasi in collisione con Maxine, che lanciò un gridolino di piacere perfettamente calibrato.

Indossava una cosa che nessuna di loro avrebbe saputo descrivere. Negli ultimi tempi era in grande spolvero, ispirando altissimo giornalismo di moda nel resto dell'ufficio. Jack II aveva addirittura dedicato una parte del suo blog allo studio di Maxine, cambiandole diabolicamente il nome in *Minnie*. Qualcuno stava lasciando commenti sconci sul sito. Sospettava di Jules.

Il nuovo completo di Maxine era assolutamente improprio per l'inverno, anzi, per qualsiasi stagione o situazione, fatta eccezione forse per la conquista del mondo. Aveva due tonalità di rosa, bretelline ornate di perle e un disegno bondage abbastanza esplicito. C'erano parallelogrammi di carne scoperta, considerati illegali in moltissimi Stati, e un fiocco sulla schiena che ricordava una chiave serpeggiante. Una parte era di *pelliccia*. I capelli avevano una fluidità fresca di parrucchiere che strideva con il resto della *mise*, ma trattandosi di Maxine, alla fine tutto si armonizzava.

Pru e Lizzie istintivamente ebbero un sussulto. Tanto valeva che ruzzolassero a terra come birilli, con delle *x* al posto degli occhi.

Sbaragliata la concorrenza femminile, Maxine lanciò un'occhiata focosa al povero Gramo, che pur rischiando di perdere l'equilibrio e dondolando leggermente su un calcagno, riuscì a tenere botta. Maxine cominciò a dire qualcosa sul mercoledì, ma non si capiva se intendesse quello successivo o il mercoledì precedente.

Invece il sussulto perduto di Gramo cominciò a far sussultare *Maxine*. All'inizio sembrò un tic nervoso, ma in realtà era un sussulto bell'e buono. Lizzie e Pru assistettero all'escalation. Stavano memorizzando tutti i dettagli per il blog di Jack II. Maxine perse il filo, aveva gli occhi lucidi, era nel panico. Forse stava parlando del concetto astratto di mercoledì, lo status di giorno intermedio, un sostantivo tronco così lungo. Nessuno l'aveva mai vista tremolare così. Sembrava che l'avessero messa in corsivo.

Stavano assistendo a un avvenimento storico. Lizzie era così agitata che s'infilò un'altra penna tra i capelli. Il tempo era capovolto. *Mercoledì* veniva da Mercurio, il messaggero degli dèi, il protettore dei mercanti.

A furia di sussulti perduti, l'aria diventò irrespirabile. Poi i sussulti esplosero all'improvviso. Lizzie distolse lo sguardo. Maxine guardò prima Pru e poi Lizzie e poi, non trovando sostegno morale, di nuovo Gramo.

Dal fondo del corridoio arrivò un fragoroso tintinnio di monete. Una lattina di acqua tonica si rovesciò nel vecchio e triste distributore automatico, quello con metà delle lucette rosse che segnalavano il tutto esaurito sempre accese.

La carambola della lattina risuonò forte come un tuono.

D'istinto Maxine strinse la spalla di Gramo e borbottò una frase incomprensibile. Serviva a ricordare che sapeva anche rifilare una *palpatina*, quando occorreva, anche se non lo faceva da un po', non con i suoi fedeli ammiratori. Quando *accadeva*, tradizionalmente la maggior parte di loro non riusciva a smettere di sussultare. Boccheggiavano e prendevano le distanze barcollando, tremando da capo a piedi. Sorbivano una lunga e lenta litrata al distributore dell'acqua e di solito finivano con lo sdraiarsi sul divanetto di Jonah per un paio di minuti, fissando il soffitto con le melodie della sua opera ceca che solcavano l'aria. In queste rare occasioni, Jonah concedeva in prestito la ranocchia antistress messicana.

Ma Gramo quasi non reagì a quella carezza inaspettata. Sollevò di un micron un angolo della bocca. Quel dialogo l'aveva già stufato: voleva tornare al suo documento Word e al mistero della cassetta degli attrezzi lampeggiante. La palpatina sulla spalla era un avvenimento insignificante. L'arsenale di Maxine non era riuscito a scalfirlo. L'arsenale di Maxine era imploso.

Lei accennò a un seminario obbligatorio tra due settimane, sperava che lui volesse aiutarla a condurlo. Oh no, un altro seminario sulle molestie sessuali! Le parole non sortirono alcun effetto. Il volto di Gramo non tradiva alcuna volontà di frequentarlo, figurarsi di condurlo. Con crescente disagio Lizzie e Pru osservarono Maxine che tentava di fare colpo. Il tentativo di prenderlo giocosamente a braccetto andò a vuoto. Gramo rimase piantato lì senza muovere il gomito neanche di un millimetro. Niente, nella sua esperienza, aveva preparato Maxine a tanta pura e semplice indifferenza. Girò i tacchi e sparì.

V. Appendice I: Potenziali problemi

Sviluppo abbastanza importante: proprio quando sembrava che Gramo fosse diventato l'incarnazione della freddezza, tanto impassibile davanti a quel violento Maxinaggio che Lizzie e Pru si chiesero per la prima volta se per caso non fosse gay, lui si bloccò ed eseguì un fulmineo passo di danza alla John Travolta, con un indice puntato in su e l'altro in giù.

I pensieri di Lizzie e Pru sulla sua eventuale omosessualità furono immediatamente sostituiti da *Che personaggio, una cosa del genere non capita mica tutti i giorni.*

Gramo si gasò a passo di danza per un paio di secondi, flettendo i muscoli. Una melodia impercettibile gli usciva dalle labbra.

Magari in Inghilterra fanno tutti così, pensò Lizzie. *Magari camminano così.*

Pru credeva di assistere semplicemente all'antica tradizione inglese di fiera eccentricità.

Fecero un passo indietro e lo guardarono bloccarsi, sorridere e mollare una profonda, baritonale, scorreggia.

Era assolutamente intenzionale. Non era una gaffe. Non era lo sfregamento accidentale di una scarpa contro il linoleum, o cose del genere.

Fu la bomba più rumorosa che si potesse immaginare, più rumorosa della lattina di acqua tonica caduta poco prima. I contatori Geiger in Giappone impazzirono. I satelliti uscirono dall'orbita e andarono a schiantarsi contro il sole.

Pru e Lizzie non sapevano come reagire. C'era bisogno di un seminario ad hoc, di un manuale d'emergenza. Continuarono a camminare, paonazze in volto, come due suore di clausura. Il mouse del computer di Gramo penzolava dal bordo della scrivania, con l'occhio infrarosso che le irraggiava come se pronunciasse una sentenza. Lo aiutarono a sistemare il documento Word – aveva aperto un'intestazione e non sapeva come uscire – e poi sgattaiolarono via in silenzio, ancora perse nei propri pensieri.

Più tardi dissero: *È pazzo*. Pru lo disse in modo che l'ultima sillaba trillasse come due note, un'ottava piena ancora più alta. Jack II propose di aprire un nuovo blog dedicato all'argomento. Pru finalmente cancellò dalla segreteria il vecchio messaggio di Gramo, non senza malinconia.

VI. Appendice II: Pronomi e abbreviazioni (ovvero P&A)

Chissà perché, Crease era convinto che Gramo essendo inglese dovesse *per forza* conoscere la Donna Orientaleggiante Dall'Accento Inglese, ma come chiederglielo? Nelle mail preferiva chiamarla DODAI o DIO o semplicemente IO. Ogni volta perdevano una decina di minuti a decifrare le abbreviazioni.

Dal vivo la chiamava soltanto *lei* e guai a non capire di chi stava parlando.

Erano passate tre settimane e due giorni dall'ultima volta che l'aveva vista. Crease osservò che la pazienza era sempre stata il suo forte. Ecco come aveva fatto a reggere lì per sette anni, superando le tempeste, salendo lentamente di livello. Crease diceva di essere lì da talmente tanto tempo che ricordava persino quando ci si entusiasmava per Campo Minato. Adesso erano solo e-mail, chattare in rete e care vecchie fantasie erotiche.

Crease ammise che un eventuale licenziamento l'avrebbe distrutto, non certo perché gli piacesse questo lavoro, ovvio, e neppure per la perdita di un'entrata fissa, ma perché avrebbe dovuto abbandonare ogni speranza di rivedere la DODAI.

Pru gli consigliò di impegnarsi un po' di più sull'epopea del benservito.

A questo punto gli darei un 6/6-, commentò.

Due giorni dopo ci mancò poco che Crease sbarellasse: mentre aspettava l'ascensore si era aperta la porta ed erano usciti Testa di cavolo e la DODAI, chiacchierando amabilmente del tempo. Ognuno era andato per la sua strada, ma Crease aveva percepito un certo feeling.

La parlantina di Crease aveva bisogno di una messa a punto. Nella sua testa attaccava bottone con la DODAI e dopo la prima frase non sapeva più che pesci pigliare. Si doveva preparare. Aggiunse ai suoi preferiti un sito dedicato alle previsioni del tempo e cominciò a consultarlo ogni due minuti.

Così se lei dice: Oggi è proprio una bella giornata, io che dico?

Prima confermi, e poi le fai i complimenti per qualcosa che ha addosso, rispose Jonah.

E poi le chiedi il numero di telefono, aggiunse Pru.

Crease venne travolto da un'ondata di panico e di eccitazione. *No, scherzavo, lascia stare.*

Più tardi confessò a Pru: *Non sono abituato alle belle donne.*

Lei gli lanciò un'occhiata che diceva «E io cosa sono, una cozza?», ma lui aveva la testa altrove.

Jack II confidò a Laars e Pru la sua cottarella per la DODAI, ma li pregò di non riferirlo agli altri, che tanto già l'avevano saputo da Lizzie. Aveva dimenticato che stava scrivendo di lei sul suo blog, in una categoria dal titolo PettegOlezzo.

Confidare qualcosa a Laars e Pru garantiva quasi automaticamente che l'avrebbero saputo tutti. La maggior parte di loro non aveva ancora nemmeno visto 'sta DODAI, ma immaginavano che non fosse alla portata di Crease, se era minimamente come l'aveva descritta.

E se l'ossessione parallela di Jack II fosse una presa per il culo? Conviveva con la sua ragazza, che faceva la manager di un ufficio in centro. Pru la definiva *un personaggio*, il che significava che aveva un forte accento del Queens.

Alla festicciola di Natale, l'anno prima, si era sparata una serie di chupito con Testa di cavolo, e ogni due o tre minuti sbottava: *Ma allora sei tu TESTA DI CAVOLO!* Era inquietante. Ovviamente nessuno di loro l'aveva mai chiamato *Testa di cavolo* in sua presenza. Ma chiaramente lui sapeva. Continuava a muggire *Uuh-uuh!* e giù di chupito.

Chissà se lei era al corrente della DODAI.

Le sigle trovavano sempre il modo per sfuggire di mano. Pru continuava a dire RIP, *Risparmiami I Parti-*

colari, anche se ti limitavi a dire che l'avresti raggiunta all'ascensore tra un minuto perché prima volevi lavarti le mani.

Jason ogni tanto diceva SPE, *Se Puoi Evita*. Ma non aveva mai attecchito.

Crease aveva la mania di scarabocchiare IPP, Il Prima Possibile, dappertutto, l'ultima su un Post-it indirizzato alla portineria: *Si prega di aggiustare il dispenser del sapone nella toilette* IPP. *È il modo migliore per diffondere germi, batteri ecc.*

Lizzie usava PTI, Per Tua Informazione, per le cose più banali, anche se usciva il sole. *PTI, credo che oggi non pioverà.*

Jonah inseriva spesso nelle sue mail un criptico PPT, di solito seguito da una sfilza di puntini. Nessuno aveva il fegato di chiedergli cosa significasse. Crease pensava che stesse per *Porca Puttana Troia*. In genere appariva dopo il resoconto di una tipica bastardata di Testa di cavolo.

Il tormentone di Maxine restava SIC, Simpatico Interessante Coinvolgente. Spedì un altro messaggio con quell'oggetto. Conteneva un link a un sito di barzellette sui polacchi.

Assurdo, disse Lizzie.

Le barzellette sui polacchi sono démodé, disse Pru. Teorizzò che la nascita di Solidarność e l'ascesa di papa Giovanni Paolo II avessero spazzato via le barzellette sui polacchi.

Sembrava che Maxine intendesse inviarlo soltanto a Gramo, perché aveva scritto una breve premessa con una disinvolta allusione all'Inghilterra. C'era anche una battuta sulle lenzuola di lino: era totalmente SPE e RIP, e, a pensarci bene, anche OPD.

Il sito impallò tutti gli schermi. Il reparto informatico inviò un messaggio piuttosto divertito attraverso la posta vocale. *Siete pregati di non inviare, né aprire e tantomeno pensare barzellette sui polacchi.*

In ufficio ogni tanto si stringevano nuove alleanze. Un mercoledì qualcuno stava chiacchierando in ascensore con Big Sal del reparto informatico e Henry dell'Ufficio Personale, quando all'improvviso Lizzie propose: *Venite a bere qualcosa con noi?*

Stranamente non ci fu imbarazzo. Vennero a sapere che Big Sal era stato assunto da pochi mesi. Si era sovrapposto a Bernhard e poi l'aveva rimpiazzato. L'ufficio gli piaceva, ma era convinto che l'avrebbero cacciato presto. *Il problema è che voi avete qualcosa come tre sistemi diversi che non comunicano tra loro*, spiegò. Metà delle sue frasi cominciavano con *Il problema è*. Il suo lavoro consisteva nel far interagire senza ostacoli le linee di comunicazione interna, un compito pressoché impossibile. *Il vostro ufficio è il Triangolo delle Bermuda dei sistemisti*, disse.

Pru si aspettava già una bella epopea del benservito, ma Big Sal disse che l'informatica era fatta così. Non sembrava preoccuparsi per l'imminente licenziamento, per le prospettive di riassunzione o per la vita in generale.

Vennero a sapere che Henry dell'Ufficio Personale era coniugato e aveva tre figli, uno dei quali si era appena laureato e quindi avrebbe potuto essere un loro collega. Insomma, Henry era più vecchio di quanto credessero.

Il figlio faceva uno stage all'Ufficio Parchi, ma in realtà la sua passione era la danza. *Quella dove ti copri di rotoli di carta igienica e cammini a passo di gambero.* Annuirono tutti, per dare l'impressione che rispettassero quel tipo di danza o quanto meno sapessero di cosa stava parlando.

Henry aveva una figlia al liceo e un'altra che aveva solo cinque anni. Era ossessionato dall'intervento all'occhio che aveva fatto con il laser. Quasi tutti se n'erano dimenticati: una volta portava occhiali così enormi che ti ci potevi specchiare dalla cintola in su. Due padelloni con la montatura color cola diluita con ghiaccio.

Era felicissimo di non doverli portare più, ma diceva che a volte gli occhi assimilavano troppe informazioni. Prima era la vista a raggi X. Adesso gli apparivano frammenti di futuro a casaccio. Nel suo sguardo scorrevano vite intere. Guardava suo figlio e vedeva un uomo anziano su un palco in perizoma di plastica, che faceva capriole davanti alla scenografia di una pianura spazzata dai venti. La figlia più grande, di lì a vent'anni, avrebbe indossato una maschera da saldatore: forse avrebbe fatto il meccanico oppure la scultrice.

La visione più assurda riguardava la figlia più piccola. La vedeva fare lo stesso lavoro che faceva lui, a capo dell'Ufficio Personale in un'azienda di medie dimensioni. *A me starebbe bene*, disse.

Nessuno si sentì abbastanza ottimista da chiedere a Henry cosa riservasse a loro il futuro.

Gramo, rimasto in silenzio fino a quel momento, augurò una buona serata a tutti e uscì dal locale. Big Sal li scrutò in volto e alla fine domandò: *Ma cos'ha quel ragazzo?*

Quando gli chiesero cosa intendesse dire, lui rispose: *Ha un teschio sulla scrivania.*

Ma no che dici!, fece Lizzie, che sapeva sempre tutto.

Cioè, ce l'*aveva. Sulla scrivania vecchia.*

Jonah, che aveva saltato la scuola serale, entrò e si accomodò proprio mentre Big Sal raccontava che fino a poco prima Gramo lavorava al *quinto* piano, in un cubicolo vuoto accanto al frigorifero rotto.

Da quando?, domandò Jonah.

Big Sal non ne aveva idea. Nemmeno lui era in azienda da tanto, ma ricordava di aver visto Gramo per la prima volta a luglio. *Il problema è che quel ragazzo non sta fermo un attimo.*

Henry dell'Ufficio Personale disse che preferiva gestirsi da solo. Non era tenuto a rendere conto a Testa di Cavolo, a Maxine o a chicchessia: semmai erano loro che dovevano rispondere a *lui*. Sapeva tutto di tutti: giorni di ferie, giorni di permesso, giorni di malattia, indirizzo, previdenza sociale, tasse. Una visione del mondo da tardo risorsumanesimo.

Secondo lui la presenza di un capo ti costringeva a comportarti in modo infantile. Sentivi il bisogno di compiacerlo, di giustificarti continuamente, di chiedere il permesso per qualsiasi sciocchezza. E anche se credevi di avere un ottimo rapporto – anche se lo trovavi *simpatico* – aleggiava sempre l'ombra del castigo.

Tutti i bambini sono un po' paranoici, disse Henry, parlando con cognizione di causa.

In quel momento esatto il cercapersone di Big Sal ronzò. In ufficio c'era bisogno di lui. Doveva disconnettere il server per sradicare un virus. Il sito di barzellette sui polacchi aveva riempito di spyware i terminali. Ogni volta che il sistema si bloccava, disse, era un filino più vicino a perdere il lavoro, anche se i crash in ufficio erano all'ordine del giorno, spiegò, crash di cui tutti gli altri restavano all'oscuro.

I tecnici informatici sono i luminari del ventunesimo secolo, disse Henry con ammirazione, mentre Big Sal tornava al lavoro.

*

Pru ricapitolò la storia dei poteri medianici di Henry a Jonah, che volle conoscere il suo futuro. Henry disse che vedeva grandi cose, grandi cambiamenti.

Buoni o cattivi?

Visione incerta, ritenta, disse agitando le dita di fronte al viso come un indovino da luna park.

La risposta per Jonah fu più che soddisfacente: da quando la ranocchia antistress messicana era scomparsa nel nulla non sapeva più a che santo votarsi.

La serata fu divertente, ma nessuno di loro avrebbe mai più bevuto e parlato in quel modo con Henry o con Big Sal. Fu un episodio isolato di convivialità tra colleghi. Esplosioni spontanee di amicizia tra reparti diversi erano già accadute. Ma erano rare, come quel Natale durante la prima guerra mondiale in cui i soldati inglesi e tedeschi si arrampicarono fuori dalle trincee per giocare a pallone insieme. Di solito Big

Sal e Henry erano i bersagli invisibili della loro rabbia: scalpitavano perché ci mettevano un casino ad aggiustare le cose, o perché l'Ufficio Personale era riuscito a pasticciare con le date sui moduli per le ferie. Il giorno dopo, tornati alle beghe quotidiane, finirono col pentirsi di quella serata.

VII. Ritorno in Siberia

Una mattina, poco tempo dopo, Laars si accorse di aver finito le graffette. Non che avesse molto da graffettare, ma c'era un raccoglitore a fogli mobili che lo prendeva per il culo in tutta la sua gloria da venerdì. E lui voleva diventare un uomo d'azione. Ultimamente aveva smesso di chiedersi *Che senso ha?*, aveva fatto voto di castità e adesso aveva tutta l'intenzione di trovare delle graffette.

In più gli servivano delle spillette e, già che c'era, anche una spillatrice funzionante. Quella che aveva era un modello grigio e antiquato ereditato da Jules. Funzionava più o meno una volta su tre. Più che una spillatrice era un oggetto da collezione. Chissà quando un volenteroso aveva fatto correre diversi strati di nastro adesivo intorno al manico, per agevolare la presa. Il nastro ormai era color seppia e sopra c'era una scritta funesta: KRASH. Le lettere erano state incise a fondo con una biro (inchiostro rosso, per lo più, con tracce di nero e blu), come se le avessero ripassate tutti i giorni, in preda a un'irragionevole disperazione, per anni e anni.

Jenny si ricordò che Jill faceva incetta di graffette, spillette, fermagli e adesivi di qualsiasi tipo. *Era fissata con gli adesivi a presa rapida*, disse Jenny.

Pru, Gramo, Jack II e Crease si unirono alla comitiva durante il tragitto, e s'imbarcarono tutti per la Siberia, con i passi che echeggiavano nella tromba delle scale. Gramo attaccò un canto da marinai – sulle prime comico, con tanto di sirene e barili di rum. Dopo qualche secondo aveva già rotto. Lizzie e Pru si tennero a distanza, temendo improvvise flatulenze disco. Ma più o meno tutti trattennero il fiato finché non arrivarono in cima.

Svoltando l'angolo, l'atmosfera cambiò e si ritrovarono immersi in un oceano di luce. La Siberia aveva un clima tutto suo. Un rumore sommesso: l'Innominabile stava svuotando il contenuto della scrivania di Jill in un'enorme pattumiera di plastica a rotelle, migliaia e migliaia di fogli. La sedia di Jill era lì, il trono della Siberia rovesciato, le ruote d'argento riflettevano il sole del primo pomeriggio. Era una sedia migliore, rispetto a quelle che avevano loro, ma nessuno aveva il coraggio di rubarla.

La scrivania di Jill, disse Jenny, manco fosse la segretaria fantasma di Jill che rispondeva al telefono.

Sembravano passati secoli da quando Jill era stata licenziata. Non avevano neanche fatto un brindisi d'addio. Ognuno pensava che ci avrebbe pensato qualcun altro, a contattarla o organizzare. Ormai era troppo tardi.

Jill, disse Crease. *Me la ricordo a malapena. Mi ricordo a malapena che faccia aveva.*

Buffo: tutti pensavano che Crease avesse una cottarella per Jill. Persino Pru li vedeva bene insieme. Aveva senso. *Hanno la stessa conformazione fisica*, diceva Jack II. Ma l'avvento della DODAI aveva completamente spazzato via quei sentimenti dal cuore di Crease, li aveva inceneriti e sigillato le ceneri per sempre. Era come quell'imperatore cinese che aveva costruito la Grande Muraglia e bruciato tutti i libri.

L'Innominabile si presentò con una mascherina sulla bocca. *Lo sai che il celeste ti dona?*, disse Pru, e riuscimmo a vedere il sorriso anche sotto il tessuto gommato. Spruzzò due cerchi di detergente liquido sulla scrivania e staccò dalla cinta uno straccio pulito. Cominciò a sfregare con precisione militare, in rettangoli di dimensioni decrescenti. A ogni passata la superficie sbiancava radicalmente. Era incredibile vedere una cosa che funzionava davvero come doveva funzionare. Jonah era ipnotizzato dalla superficie sfregata, come se dovesse tornare alla luce un messaggio sepolto da tempo.

L'Innominabile gettò nel cestino un mucchio di buste imbottite. Poi imbracciò una scopa troppo grossa per lui, spingendo a più riprese una montagnetta di sporco lungo il corridoio, dove si fuse con un ammasso più grande. Proseguendo il cammino, svoltando oltre il distributore automatico per addentrarsi nella regione più remota della Siberia, si correva il rischio di subire aguati da parte di una creatura fatta interamente di fogli di carta perforata, capelli abbandonati e spirali di taccuino. Fino a quel momento l'Innominabile era considerato soltanto un latore di posta interna, un paziente scarpinatore. Invece adesso la parte superiore del corpo si muoveva in libertà, forse addirittura con una sorta di muta, elastica gioia. Era concentrato allo spasimo. Chi altri in ufficio lavorava con tanta foga, con tanta efficienza? T'immaginavi un sottofondo di Vivaldi mentre una sfiorita star televisiva raccontava la storia di un'impresa di pulizie a conduzione familiare, che sgombrava scrivanie da cinque generazioni.

Jonah raccolse qualcosa che era caduto da una pila di fogli: un biglietto di auguri di buon compleanno da parte di Jason, datato cinque marzo. Ma di che anno?

Spuntarono altri due uomini, che cominciarono a sbaraccare tutto. Portavano camicie di flanella e caschi di sicurezza verde acido con la scritta FRATELLI KOHUT, anche se probabilmente non erano loro *i* fratelli, e neanche fratelli tra loro. Uno era smilzo, l'altro un armadio. Per motivi che non era dato sapere strapparono via una lastra di linoleum dal pavimento: sembrava che un UFO avesse puntato Jill dall'alto, risucchiandola con un raggio di teletrasporto. Le piantine e la flora rigogliosa, tutto sparito. Qualche carcassa d'insetto giaceva sul piccolo davanzale: luccicante, delineata e triste come un gioiello infranto.

Tutti si meravigliavano di quanto fosse spaziosa e luminosa la Siberia, continuando a guardarsi le spalle per eventuali mostri della polvere. Jonah aveva un vago ricordo di essere salito lì una volta, molto prima dell'esilio di Jill, e aver visto splendide boiserie, divani sontuosi, eleganti piantane. C'erano donne logorroiche con acconciature buffe e abiti freschi e stirati, fighettini inamidati che parlavano un gergo aziendale a lui sconosciuto. Si riempivano di superlativi a vicenda, dicevano cose tipo *Ci becchiamo dopo, carissimo*. Una radiolina trasmetteva i programmi della radio pubblica mentre il ticchettio delle macchine da scrivere dava un ritmo elettrizzante. Era strano ma anche bello a modo suo, un'oasi di civiltà. Jonah non conosceva il nome di nessuno, né cosa facessero di preciso. All'epoca era troppo timido per parlare (quattro, cinque anni fa). Ricordava di aver lasciato un documento, aver recuperato un floppy disk da una bella ragazza con un vestitino a rombi, una ragazza con un accento meraviglioso, incatalogabile, e dei capelli dorati assolutamente incantevoli. Quando salì la volta seguente, meno di un anno dopo, non c'era più nessuno, tranne uno gnomo dall'aria torva in un angolo, calvo e con i ciuffi bianchi che spuntavano dalle orecchie come nidi di piume, una figura nascosta dietro pile di fogli torreggianti. Jonah si domandò se non fosse stato solo un sogno.

Ritornati alla scrivania di Jill, sbirciarono nel cestino come se il contenuto avesse potuto evocarne la presenza.

Però dovremmo chiamarla, almeno una volta, disse Jenny con voce totalmente robotica.

Spulciarono tra i detriti senza più remore, adesso che l'Innominabile e i Fratelli Kohut erano andati via. All'inizio non trovarono niente di interessante: un dizionario rovinato, tazze sbreccate che contenevano mozziconi di matita, una serie di fermacapelli rotti. Motivi ricorrenti: le manciate di tic tac, metri e metri di un misterioso spago verde scuro. Laars trovò un CD che le aveva prestato un anno prima, ma non lo voleva più.

Allineate sulla vecchia scrivania di Jill c'erano tre spillatrici, tutte in perfette condizioni. Su una campeggiava la scritta KRASH, le lettere profonde come rune, incise attraverso gli strati di scotch. *Mi perseguita!*, disse Laars, formando un crocifisso con le dita.

Laars s'immaginava KRASH come una versione disperata di se stesso, che tribolava in Siberia e finiva i propri giorni su una scrivania senza nemmeno Internet per distrarsi. L'attività principale di KRASH era scegliere, nominare e perdere spillatrici.

Una clip, al centro del cerchio scuro dove una volta stava il vasetto del cactus, scagliò una scheggia di sole dritta negli occhi di Laars.

Ha cancellato la memoria a breve termine, disse poi, dopo essersi reso conto che aveva dimenticato di riportare al piano di sotto una delle spillatrici.

VIII. La peggiore zuppa del mondo

Il freddo si avvicinava. L'Alcova Rossa non era molto riscaldata, e così le sue frequentatrici per pranzo si avventuravano fuori dall'ufficio. Qualcuno degli altri le accompagnò, e man mano che il gruppo si allargava, diminuivano le possibilità di trovare un locale accettabile per tutti. Laars era entrato in un'intensa fase burrito. Jonah aveva chiuso il periodo sandwich e non aveva intenzione di aprirne un altro. Crease votò contro qualsiasi ipotesi asiatica, indiano compreso. Quella settimana aveva già mangiato tailandese, giapponese e birmano.

Prima di abbandonare l'ufficio decidiamo un posto, implorò Pru, mentre si baloccavano nell'atrio.

In passato, quando avevano tentato di ordinare il takeaway insieme, la logistica aveva fatto impazzire la persona incaricata di fare le ordinazioni, per non parlare di chi le prendeva all'altro capo del filo. Jack II era vegetariano e voleva uno strato di salsa piccante in più. Lizzie si asteneva dai carboidrati. Crease evitava le verdure a tutti i costi. Qualcuno – Jill? – era intollerante alla maionese. Una volta Jenny propose di buttare giù una tabella di chi non mangiava cosa.

Pru disse che lei mangiava tutto tranne formaggio e burro.

Ah, e le uova, aggiunse.

Tutti morivano dalla voglia di trasformare il sesto piano in una mensa o di spararsi il pranzo con una flebo o ancora di imbarcarsi per una spedizione improvvisata verso qualche Xanadu *coolinaria* all'altro capo della città (per arrivarci avrebbero perso tutta la giornata e sarebbero stati licenziati in tronco: perfetto).

Alla fine l'unica cosa che li mise d'accordo fu la zuppa.

Gramo non era del gruppo. Era rimasto a casa per motivi personali. Prima dell'ultima settimana, aveva le idee un po' confuse sui giorni di permesso non retribuiti. Lizzie gli aveva dato qualche ragguaglio e allora lui aveva deciso che voleva prenderseli tutti in una volta.

Lizzie aveva anche detto che di Gramo non voleva più saperne.

Mi ha detto una cosa veramente disgustosa, l'altro giorno, così di punto in bianco. Stavamo andando a prendere la metro e io gli stavo spiegando la faccenda dei giorni di permesso. Ci siamo fermati a bere qualcosa, chissà perché lui s'è messo a parlare dell'India e poi all'improvviso ha cominciato a parlare di tutt'altro. Terribile. Scusate. Proprio non riesco a raccontarvelo.

È una cosa brutta?, domandò Pru.

Lizzie annuì.

Riguarda i prossimi licenziamenti?

Adesso pendevano tutti dalle sue labbra.

Lizzie scosse la testa. *No, niente del genere. È peggio, forse. Secondo me è peggio. Non so neanche perché me l'ha detto. È una porcheria.*

Comecome? Eddai, vuota il sacco.

Non posso. Adesso no. Lasciate perdere.

Laars osservò che ormai non si portava più il pranzo da casa. *E guarda che sono un ottimo cuoco*, precisò. Qualsiasi cosa fosse fatta in casa finiva sempre per intristirti un po'. L'aspetto, il sapore, l'assenza di una confezione colorata. Di tanto in tanto qualcuno portava gli avanzi di una cena, ma l'odore era avvilente: evocava il decadimento e lo scorrere del tempo. Un altro problema era il microonde nella dispensa. Anche al minimo bruciava le cose, appestando l'ufficio, oppure combinava un casino talmente grosso che il colpevole non trovava neanche il coraggio di pulire.

Questa zuppa è annacquata, disse Jack II, rovesciando mezza saliera nella scodella.

Lizzie disse che ultimamente Gramo aveva la smania del popcorn. Ci andava pazzo e non riusciva a smettere. A quanto pare il popcorn inglese era una schifezza. Era cibo da Nuovo Mondo. Analizzarono questa informazione alla ricerca di indizi.

Pru voleva cambiare argomento. Non voleva sentire altro su quello che, ormai l'aveva capito, era l'inizio di una storia tra Lizzie e Gramo, anche se pareva che i due si fossero tolti il saluto.

Vi ricordate l'era delle barrette d'avena?, chiese Pru.

Per un periodo Jonah aveva portato in ufficio decine di questi snack tutti i giorni, offrendoli a chiunque li chiedeva e anche a chi non li chiedeva. Pru ne prendeva due e ne regalava uno all'Innominabile.

Le barrette avevano un sapore assurdo, come se le avessero intinte in un motore e lasciate ad asciugare sopra un vecchio radiatore. Correva voce che la zia di Jonah fosse rimasta impelagata in un sistema di marketing multilevel, e lui avesse comprato due scatoloni formato industriale per aiutarla a uscirne fuori. Ne aveva ancora un mezzo scatolone. Ormai erano vecchie di due anni, ma probabilmente il sapore era lo stesso.

Pru disse che era andata a una festa a Brooklyn e aveva incontrato di nuovo il Primo Jack. Era andato al ristorante di Jules – Mannequin? Gallivant? – e gli avevano servito una versione tostata deluxe del piatto forte di Jonah: due barrette d'avena a sandwich farcite con una fettona di formaggio e un delicato strato di tofu. La lavagna che elencava le specialità della casa la definiva *decadente*. Il Primo Jack accennò anche al fatto che Jules stava pensando di cambiare nome, per via di alcune rogne fiscali. Jules aveva chiesto se poteva usare l'indirizzo postale del Primo Jack, richiesta che era stata negata.

Parlavano di disturbi fisici, incubi ricorrenti, dolori psicosomatici, tutti attribuibili al lavoro. E non risparmiavano mai i particolari. La sindrome del tunnel carpale di Jonah era talmente peggiorata che aveva chiesto a Robb, il successore di Otto nel reparto informatico, di installargli Glottis, il programma di riconoscimento vocale usato da Jules per *Maledetti colletti*. Ma poi i sintomi erano svaniti all'improvviso: un miracolo.

Sfortunatamente, adesso soffriva di vertigini, che secondo lui erano persino peggiori del lancinante dolore al braccio. Il disturbo era più astratto e quindi più preoccupante. Aveva fatto alcuni esami e i medici non riuscivano a capire cosa avesse. Ogni volta che andava fuori città, anche solo in New Jersey a trovare la zia (quella delle barrette d'avena), le vertigini cessavano completamente. Questo significava che era un fatto puramente psicologico? Ogni volta che faceva un viaggio in Messico evaporava tutto appena s'imbarcava sull'aereo. E, quando si arrampicava sulle ripide piramidi Maya, svaniva perfino il ricordo. Ritornava, come un orologio svizzero, nel momento esatto in cui metteva piede nel JFK.

Crease disse che la palpebra sinistra gli batteva

spontaneamente. All'inizio credeva che fosse per il troppo caffè, ma poi aveva smesso di assumere caffeina e la palpebra si muoveva lo stesso.

La vedete? Toh, guarda, si è fermata. Oh, rieccola. Gli scrutarono gli occhi, ma era difficile cogliere quei movimenti impercettibili alla luce fioca del ristorante. Crease disse che stava cominciando anche a perdere capelli, ma quello probabilmente era dovuto all'età. Sosteneva che i lavori di costruzione del palazzo a forma di infinito accanto all'ufficio gli facevano fischiare le orecchie. *Ma voi non li sentite?* Di solito metteva un paio di auricolari, che aiutavano ma gli davano la sensazione di stare sott'acqua.

Il macchinario davvero pesante attaccava all'una in punto, spiegò. Crease in pratica doveva completare il proprio lavoro entro quell'ora, o se non altro finire tutto ciò che richiedeva un briciolo di problem-solving. Ma anche con le cuffiette, percepiva le vibrazioni, e diventava impossibile organizzare i pensieri verso un fine produttivo. Aveva due scrivanie ma sosteneva di sentire le vibrazioni da tutte e due. Le sentiva persino a casa sua, disse, quand'era sdraiato a letto a fissare le ombre sul soffitto.

Il cantiere non solo gli stava rovinando l'udito ed esaurendo il cervello, ma gli faceva anche cadere i capelli.

Pru disse che non aveva più desiderio sessuale e che ultimamente aveva fatto un sogno in cui Gramo ammazzava Testa di cavolo con una paletta di plastica. Il discorso sul sesso era decisamente indiscreto. Interessante, però.

Sto ingrassando, spiegò Jack II, mischiando un pacchetto di cracker all'ostrica negli avanzi della zuppa di aragosta. Lo diceva da anni, anzi, di solito lo spiattellava in faccia al primo arrivato. Una volta gli davano del pazzo: era solo un narcisista allampanato e secco come un chiodo. Ma adesso quando lo guardavano, il maglioncino verde sembrava *davvero* sensibilmente gonfio. *Hai un'aria paciosa da zio*, commentò Lizzie. Jack II masticò amaro. Sapeva di essere condannato. La biologia gliel'aveva giurata. Tutta la sua famiglia aveva l'aria paciosa da zio, non solo gli zii, ma anche le zie.

Laars disse che andava in palestra un giorno sì e uno no, e lì faceva quasi cinque chilometri di corsa, trecento addominali, cento flessioni e si rimirava con aria cupa negli specchi che coprivano il piano.

Crease disse che la sua palpebra non pulsava, quando era in palestra. Attaccava quando aspettava l'ascensore al mattino, nella speranza/timore di incontrare la DODAI.

Lizzie disse che aveva ricominciato a sognare squali, ma che stavolta erano squali giuggioloni, con gli occhi felici, o quanto meno non il tipo di squali che attacca. Era un deciso miglioramento rispetto all'inizio dell'anno, quando Jason e il Primo Jack erano stati licenziati e ogni notte lei sognava di venire dilaniata da dieci, cento, mille squali. All'epoca, dormire era come sintonizzarsi su un radiodramma particolarmente truculento.

Questa è la peggior zuppa del mondo, disse Laars.

A proposito di cibo, disse Lizzie, *c'è una banana in frigo che sta lì dal Primo Maggio.*

IX. La Jilliad

Quando uscì in quel pungente mattino d'autunno, Laars si presentava in tenuta decisamente monacale, avvolto in un morbido pastrano nero, con uno zucchetto di lana in testa e un grosso taccuino anch'esso nero sotto braccio.

Scroccò una gomma da masticare ai fumatori accalcati sul marciapiede. Si era appena rimpinzato di pollo al curry in offerta speciale, seguito da un piatto di *unagi* piccanti del giorno prima.

Ho un alito abominevole.

Pru gli offrì una Orbit. *Che c'è nel taccuino?*

Quanto tempo hai? Dal portacenere verticale usciva del fumo, mentre Laars illustrava un curioso episodio nella luce languente.

Laars spiegò al gruppetto radunato fuori che era appena tornato da una spedizione in solitaria in Siberia, dopo essersi ricordato, si dà il caso, di aver dimenticato di prendere una spillatrice il giorno prima. Erano passate diverse settimane da quel primo viaggio, e adesso la Siberia cominciava a essere all'altezza della sua fama. Il riscaldamento era spento, e vedevi il tuo fiato contro la luce smorta che entrava dalle finestre. I distributori automatici si stagliavano cupi e vuoti. C'era un silenzio tale che si sentiva ticchettare l'orologio.

La polvere ricopriva tutto, come se si fosse spostata da ogni angolo del sesto piano per raccogliersi intorno alla scrivania di Jill, in silenzioso pellegrinaggio. Laars rabbrividì quando notò le ragnatele che ammantavano gli spigoli. I peli della nuca percepirono una presenza spettrale e a un certo punto mormorò addirittura il nome di Jill ad alta voce, socchiudendo gli occhi per paura di chissà cosa.

Ahilui, le tre spillatrici di Jill erano sparite. La maggior parte delle vecchie scartoffie era stata portata via e un nuovo cumulo di roba giaceva accanto al cassonetto: cinque paia di occhiali da sole, una macchinetta fotografica usa e getta e un piccolo scaffale che probabilmente lei teneva infilato sotto la scrivania.

I solidi ripiani di legno scuro ospitavano una decina di titoli, libri che promettevano di aiutarti a dominare il posto di lavoro, a negoziare da una posizione di forza, e farsi strada verso la vetta in tutti i modi possibili. In altre parole, titoli che avrebbero trovato il loro lettore meno appropriato in Jill, la cui idea di affermazione sul lavoro era rispondere al telefono al primo squillo. Eppure sembrava che ogni testo fosse stato letto attentamente: orecchie alle pagine e pesanti sottolineature in tre inchiostri diversi. Annotazioni microscopiche ricoprivano i margini e i risguardi erano zeppi di numeri di pagina e parole chiave. Gli schemi elaborati andavano anche oltre le consuete annotazioni – numeri romani, lettere maiuscole – per spingersi fino ai simboli greci e alle cifre decimali. Un profluvio di frecce rosse collegava le informazioni in una massa vorticosa, quasi tridimensionale.

Laars concluse che Jill, esiliata e impaurita, aveva provato – provato *davvero* – a rimettersi in carreggiata. Non solo: era fermamente decisa ad andare *oltre* la precedente posizione. Se il suo destino era quello di morire in un ufficio, si sarebbe corazzata con la spietata sapienza dei grandi saggi, da Mosè a Bill Gates fino al tipo che ha inventato quel nuovo aspirapolvere. Avrebbe studiato il metodo dei grandi imprenditori. Avrebbe tradito i vecchi amici, si sarebbe offerta volontaria per incombenze onerose, qualsiasi cosa, pur di *rimediare una spintarella*. Sarebbe diventata una vincente, forse per la prima volta in vita sua.

Come avevano fatto, verso la fine, a ignorare quel nuovo audace taglio di capelli, arricchito da sgargianti colpi di sole, esaltato da quegli ipnotici orecchini scarlatti?

Forse l'aveva notato Testa di cavolo. Forse aveva letto gli stessi libri, memorizzato le stesse dritte ratificate dai guru, e aveva capito – appena visti quei travolgenti pendagli all'orecchio – cosa c'era in serbo: una scalata al potere dal basso. Bisognava agire senza indugi, quindi l'aveva falciata prima che potesse far danni.

È straziante, disse Pru mentre un tornado di ricevute e contenitori takeaway in polistirolo volavano via sospinti dal vento.

Eh, sì, concordò Lizzie.

All'inizio lo pensavo anch'io, disse Laars. *Ma ascoltate.*

La calligrafia filiforme di Jill, di solito utilizzata per salamelecchi vari tipo bigliettini di ringraziamento e/o d'auguri, trovava nuova grinta al margine di quei libri sediziosi. Richiamava alla mente antiche formule, come se – pronunciando ciò che era scritto – si potesse scatenare un'invasione di cavallette o un vento cupo e nauseabondo.

Ascoltate.

Si accese una sigaretta e continuò il resoconto della spedizione.

Nell'ultimo ripiano in fondo, nascosto sotto una pila di giornali vecchi, c'era un taccuino a spirale. Il cartone nero, indurito dal tempo, era scolorito sui margini, ma le pagine erano ancora attaccate al dorso. Laars lo aprì sotto la luce tremolante, tappandosi il naso per la polvere smossa.

Che cos'era, il diario di Jill?

C'erano due o tre annotazioni per pagina, senza data, che riempivano quasi tutto il taccuino. La scrittura era più grande, più imprecisa, con uno stile ricercato. All'inizio l'inchiostro era difficile da leggere, una sfumatura tra rosso e arancione, ma così leggero che sembrava fluttuare, un tramonto in pillole. Nell'armadietto della cancelleria non erano mai entrati colori simili.

È qui che scriveva quello che pensava veramente di noi?, domandò Pru.

Sembrava tanto gentile, ma quando voleva sapeva essere una vera stronza, accusò Lizzie preventivamente.

Credo che sotto sotto mi odiasse, disse Crease.

Laars alzò una mano. *Non è come pensate.* Aprì il taccuino, si schiarì la gola e lesse ad alta voce dalla prima pagina:

Sappiatelo: i colleghi sono le risorse più insostituibili. Trattateli come trattereste il martello, lo scalpello e le pinze nella vostra cassetta degli attrezzi.
– Il fondo di guerra del lavoratore, di Fred Glass

E cosa sarebbe uno scalpello, di preciso?, domandò Lizzie.

È quel coso appuntito, disse Pru, mimando l'uso dello scalpello, o la scena della doccia in *Psycho*.

Laars passò all'annotazione successiva:

Non siate quelli che dicono «ve l'avevo detto». Diteglielo fin da subito. E ripetetelo di continuo.
– 101 consigli per l'ufficio, di Randall Slurry

E poi l'ultima della pagina:

Pensate all'ufficio come a un transatlantico. Voi siete il capitano o un passeggero? O la persona che suona lo xilofono nell'orchestra a bordo piscina?
– Sette gradini per il successo: il business del business, di Chad Ravioli e Khâder Adipose

Mi sa che io sono quella che vomita dal parapetto, disse Pru.

È tristissimo, se ci pensate, osservò Jack II. *È deprimente immaginarsela seduta lassù a ricopiare tutte queste fregnacce.*

Laars chiuse il taccuino, ma tenne il segno con un dito. Tutte le citazioni venivano da libri diversi, spiegò, ma nessuna dai libri che Jill teneva sotto la scrivania.

Questo faceva pensare che attingesse a una raccolta ancora più grande di autobiografie di amministratori delegati scritte da altri, piani d'azione machiavellici, manuali pratici in formato PowerPoint. Il suo appartamento doveva esserne pieno fino al soffitto.

Uno stormo di piccioni attraversò il cielo, fece retromarcia, cambiò di nuovo rotta e infine planò verso ovest fino a scomparire all'orizzonte. Quel po' di calore che c'era stato fino a quel momento era completamente svanito, ma nessuno era ancora pronto a rientrare. Cominciarono a passarsi di mano in mano il taccuino, assorbendo la saggezza di quelle massime.

Pru lesse:

Mio padre diceva sempre che le situazioni impossibili richiedono il pelo sullo stomaco. Pensateci bene: è così. Ogni mattina, prima di andare in ufficio, fatevi questa semplice domanda: Ce l'ho il pelo sullo stomaco?
Molto dipende dalla vostra risposta.
– Il pelo sullo stomaco. Fitness mentale per il guerriero in affari (edizione aggiornata), di Cody Waxing, Fondatore della MTech Solutions

Qualcuno strabuzzò gli occhi.
Ma non è il tizio che hanno sputtanato con un arresto pubblico?, disse Crease.
Mi sa che l'hanno arrestato per una storia di puttane, rispose Lizzie.
Erano spogliarelliste, puntualizzò Laars.
Le spogliarelliste non sono illegali, disse Crease.
Pru continuò:

La confusione è inevitabile. Cavalcate l'onda.
– La bibbia del manager: Il nuovo sistema mnemonico per le intuizioni quotidiane, di Wayne V. Hammer con Juliette Earp

Pru fece un sospiro profondo.

Due parole, ma potrebbero essere le due parole più importanti di questo libro: Documentate tutto. Siate concisi nelle e-mail, ma lasciate che i vostri colleghi – che potrebbero diventare vostri avversari – si tolgano pesi dallo stomaco, vi raccontino barzellette sporche, si lamentino di questo o quello.

Di nuovo *lo stomaco*, osservò Lizzie.

Siate la spalla su cui vogliono *piangere, i confidenti, i migliori amici. E ogni mese, fate una copia cartacea di tutta la posta in arrivo. Anche se qualcosa sembra insignificante, stampatela.*
Può darsi che non avrete mai bisogno di tirar fuori questa enorme quantità di prove. Ma fidatevi di me: Vi mangerete le mani se la scelta sarà tra voi e il cretino in fondo al corridoio – e lui avrà *tutte le prove, mentre voi non avrete un bel niente.*
– Come stravincere ogni volta sul posto di lavoro, di Sue Locke Villareal e Edmund Villareal

Il taccuino passò a Jack II.

Avete un problema? Assegnategli un numero. Scomponetelo. Calcolate le cifre. Trovate una percentuale, una proporzione, le probabilità. Non c'è bisogno di essere matematici: basta essere intelligenti. Se il capo vi chiede che tempo fa, non limitatevi a dire caldo o freddo: dategli i gradi Celsius e i Fahrenheit (e i Kelvin, se li sapete). Se non li sapete, dategli una stima approssimativa. In sostanza: usate sempre i numeri.

I numeri vi aiuteranno anche a pensare *da professionista. Organizzate i pensieri numerando ogni paragrafo. Fatelo per un rapido promemoria allo stesso modo in cui lo fareste per un report annuale. Delineate, quantificate,* fate cifre.

Il modo in cui date i numeri dice a un capo tutto ciò che ha bisogno di sapere.

– Dare i numeri. Tre semplici regole per fare colpo sulle persone che contano (e imparare a contare anche voi) (Una guida per principianti ™), di Douglas Salgado e Uri Boris

Alzò un dito per chiedere attenzione.

Aprite bene le orecchie perché lo dirò soltanto una volta. A me interessano impiegati disposti a darmi il 110 per cento. Mi avete sentito bene.

La maggior parte delle persone non riesce a dare nemmeno il 50 per cento. Pochissimi riescono ad arrivare al 75. Uno su mille *riesce a offrire il 100 per cento, quello che viene considerato il massimo. Io cerco quella persona su* diecimila *che mi darà il 110 per cento.*

E sapete una cosa? Ho studiato statistica tutta la vita. Troverò quell'uno su diecimila. E lo assumerò. E poi spaccherò il culo a tutti.

– Sì, ho bevuto l'amaro calice… e sono tornato, di M. Halsey Patterson.

Posso suicidarmi adesso?, domandò Pru.

Jack II lesse il passo successivo con voce più suadente, ma ancora intrisa di nostalgia:

Diavoli dell'inferno! Eravamo come dei ragazzini in un negozio di dolciumi, ci accaparravamo proprietà a destra e a manca, le ribattezzavamo e le spremevamo fino all'ultimo

dollaro prima di gettarle via. Niente fegato, niente gloria è uno dei luoghi comuni più triti, ma dovete sapere che è anche l'unica filosofia d'affari sperimentata che – tenetevi forte – funziona *davvero.*
– L'offerta è sempre valida. Note sparse (e irriverenti!) sull'economia della ricchezza, *di Parker Edwards.*

Fu la volta di Lizzie:

Non perdete tempo con la corrispondenza: le parole non hanno mai portato grandi ricchezze.
– Lettere a un giovane imprenditore, di Percy Ampersand, a cura di Percy Ampersand IV.

:

Problemi con l'alcol? Lasciate perdere. Droga? Sparatevi in bocca. Non dico che dovete essere astemi. Ma capite bene che un'azienda efficace è tutta questione di controllo*, e sulla mia nave non c'è posto per gente che non riesce neppure a controllare se stessa.*
– Il progetto Pegaso. Come trovare il lavoro che volete, il rispetto che meritate e i dipendenti di cui avete bisogno per avere successo nella vita, di D.M.S. Shrapnel, con un'introduzione di Whittles Langley, AD di Ptarmigan Group

Il lampione prese vita ronzando, inondandoli di un bagliore madreperlaceo.

Immaginate di essere appena entrati in ascensore con l'Amministratore Delegato della vostra azienda. La porta si chiude. Siete solo voi due.
Che cosa direte?
Dovete comunicare le vostre attuali responsabilità, i trionfi più recenti e i vostri obiettivi personali. E dovete farlo in

un modo che faccia capire quanto i vostri obiettivi coincidono con quelli dell'azienda.
Pensate al Discorso in Ascensore come una frase a effetto di 30 secondi. Uno spot di voi stessi.

Testa di cavolo è un appassionato di Discorsi in Ascensore, disse Lizzie. *Ci avete fatto caso?*
Solo che lui ha capito male il concetto, disse Pru. *Fa tutte queste analogie scontate tra il movimento in salita dell'ascensore e quello dell'azienda.*
Crease continuò:

Ogni impiegato – a prescindere dal ruolo che ha – dovrebbe tenere pronto il suo Discorso in Ascensore. Perché non esercitarsi di fronte a uno specchio? Non sprecate l'occasione di mettervi in buona luce.
– Sale o scende? Come imparare a vendersi ogni volta, di Dobbs Redondo.

:

L'utile netto non m'interessa. Lo ripeto: l'utile netto non m'interessa. *Un AD con un cervello nella testa e (le signore mi perdonino) un paio di autentiche palle se ne sbatte la minchia dell'utile netto. Una volta che iniziate a pensarci, siete finiti.*
Fottuti.
Bruciati.
I vostri nemici vi sbraneranno vivi – e neanche si prenderanno il disturbo di finire il pasto.
– Ma fatemi il piacere! Un addetto ai lavori pensa fuori dagli schemi, di Thomas Feeley con Moss Jervins.

Bruciati!, disse Lizzie. *Dovremmo farlo vedere a Jules!*

Crease lesse l'ultima citazione della giornata, davvero sconcertante:

Se il capo è un intralcio, trovati un nuovo capo. Questo ovviamente non significa che tu debba abbandonare la nave e spedire il CV *nel mondo brutto e cattivo che c'è là fuori. No. Trovare un nuovo capo può essere semplice come far cambiare il tuo capo attuale, per adeguarlo ai tuoi bisogni. Fagli vedere chi è che comanda. Rispondi a ogni domanda e, ogni volta, non dimenticare di farne una anche tu. Se riesci a cooptare il flusso di informazione e a incanalarlo a eseguire i tuoi ordini, puoi mettere* lui *in una posizione in cui non potrà far altro che dipendere da te. E voilà: il tuo posto è diventato più sicuro del* suo.
– *I veri consigli di cui far tesoro*, di Rhona Chen, con un'introduzione di Gordon G. Knott

Ciao, disse Gramo, che era uscito per farsi una sigaretta. *Be', cos'è 'sta roba?*

Nel corso del reading qualcosa cambiò. Benché quelle perle di saggezza conquistate a caro prezzo li facessero ridere, a un certo punto non stavano più ridendo di Jill.

Qualcosa era scattato. Jill non era un'ingenuotta che si faceva comandare a bacchetta, una burina del West Virginia (o della Virginia e basta, boh), che tentava di trasformarsi in uno squalo senz'anima determinato a vincere a ogni costo. Stava menando colpi di motosega alle regole, sottolineando le contraddizioni più assurde, le cazzate in libertà della cultura aziendale.

Il fatto che nessuno avesse mai notato questo lato di Jill rendeva il tutto simile a un moderno racconto moraleggiante, o a un mito, o a qualcosa del genere (Pru stava ancora cercando la parola giusta).

Laars riprese il taccuino. Si era tolto i guanti per accendersi un'altra sigaretta, e con le dita scoperte sentì qualcosa sulla copertina nera senza scritte, qualcosa che non aveva notato prima: profondi solchi incisi con una biro scarica, segni a forma di lettera. Inclinando il taccuino alla luce del lampione, apparve il titolo:

LA JILLIAD

Di lì a poco si appassionarono tutti alla *Jilliad*. Diventò una vera ossessione: l'enciclopedia della loro disperazione, un catalogo di futilità scritto da una persona che pensavano di conoscere bene e invece non conoscevano affatto. Jill era stata l'artista in esilio, l'anonimo cinico genio del sesto piano.

È il mio mito, disse Jenny.

Per me funziona su diversi piani di lettura, disse Pru. Lei e Lizzie avevano un'interpretazione femminista al riguardo, e Gramo affermava di condividerla.

In un solo pomeriggio Jill era passata da cacasotto di prima categoria a sofisticata autrice sardonica. In una mail che suonava come un comunicato stampa, Pru la definì: *un'impassibile poetessa dallo spirito devastante che riporta in auge l'arte perduta della citazione.*

Lizzie cercò di mettersi in contatto con Jill, ma senza risultati. Il numero di cellulare era irraggiungibile. Non si trovava un telefono di casa. Lizzie provò persino a chiamare il servizio informazioni elenco abbonati della città natale di Jill, sperando di rintracciare i genitori, inutilmente.

L'autrice era un fantasma.

Il manoscritto era incerto. *La Jilliad* conteneva esattamente 322 estratti, la maggior parte di poche righe, qualcuno più lungo di una pagina. Nella parte centrale, Jill era passata a una matita delicata, come se tracciasse le lettere direttamente dalle fonti. A volte saltava le pagine, o iniziava a scrivere quasi in fondo alla pagina bianca. Significava qualcosa? L'organizzazione aveva una sua logica, un suo ritmo. Illustrava le ultime citazioni con divertenti caricature di colletti bianchi giapponesi in completi austeri, che grondavano sudore mentre oscillavano le calcolatrici al vento e indicavano diagrammi a torta. I capi, in queste vignette, assomigliavano tutti a Testa di cavolo verso la terza età, con la trippa sporgente e i peli dal naso. Nell'angolo c'era quasi sempre un'impiegata isterica grande un quarto degli altri, che prendeva appunti coscienziosamente mentre le veniva un esaurimento nervoso. Probabilmente era un autoritratto.

Crease fu incaricato di fare fotocopie della *Jilliad* per tutti, ma la macchina aveva difficoltà a leggere quell'inchiostro insolito. Allora Lizzie prese in custodia il taccuino nella sua scrivania: gli altri lo prendevano in prestito a turno, trascrivendone un paio di pagine per volta. L'idea era di collazionare i pezzi finiti in un unico file, che poi avrebbero potuto chiosare, stampare, spedirsi via mail e rivedere ancora.

Laars disse che l'idea di condividerlo al di fuori della loro cerchia lo metteva a disagio.

Lizzie pensava che *La Jilliad* potesse avere successo in rete, diventare un caso di arte aziendale fatta in casa. Forse Jack II avrebbe potuto progettare un sito apposta. Pru era del parere che meritasse di esistere al di fuori dell'ufficio, ma voleva pensare a quale forma dargli.

Si parlò di staccare singole pagine per accelerare la trascrizione: mozione respinta dalla cerchia, anche se con uno scarto minimo.

Laars cominciava ad avere la sensazione di non fare neanche più parte della cerchia.

Senza Laars, *La Jilliad* sarebbe sparita per sempre, buttata via con tutte le altre cartacce. Adesso si pentiva di averla salvata. Aveva scelto di mostrarla agli altri perché Jill la conoscevano tutti, ma la faccenda gli era subito sfuggita di mano. Il vero ricordo di lei non sarebbe mai durato. Era come ucciderla una seconda volta.

E Gramo che c'entrava? Neanche la conosceva, e adesso parlava come se fosse stato il suo migliore amico.

Laars cercò nel suo computer qualche foto di Jill – delle uscite serali, della festicciola di Natale dell'anno prima – ma non riusciva a trovare il suo volto. Probabilmente era stata lei a scattarle. In una foto, il flash si rifletteva nella finestra alle spalle di Pru che rideva e Lizzie che trincava: si intravedeva un braccio pallido e l'ombra di un sorriso che fluttuavano sul vetro. Frammenti di lei.

Ma quando Laars tentò di ricostruirla da questi vaghi indizi, trovò una Jill che non aveva mai conosciuto: nella sua ultima, elegantissima pettinatura, il mento sollevato, l'aspirante guerriera d'ufficio con un piano strategico nella testa rimessa a nuovo.

Ognuno dedicava il tempo libero alla trascrizione della *Jilliad*, tutti tranne Jonah, che si stava perdendo quello spasso per preparare gli esami della scuola serale, consumando l'ultimo giorno di permesso. A Gramo era stato chiesto espressamente di *non* assistere alla battitura, ma lui ormai si sentiva parte in causa e snocciolava interpretazioni gratuite.

Sembrava che Lizzie avesse ricominciato a parlare con Gramo. Non aveva ancora rivelato a nessuno cosa le avesse detto di tanto scabroso. Aveva sempre minimo due penne che le spuntavano dalla testa.

Pru prese in prestito *La Jilliad* e la tenne per parecchio tempo, talmente tanto che usurpò il ruolo di bibliotecaria a Lizzie. Le frullavano in testa varie teorie. Diceva che Jill si inseriva nella tradizione americana degli artisti outsider, che creavano quasi per se stessi. Conducevano vite apparentemente monotone finché non si scoprivano le loro opere mozzafiato.

Laars non capiva bene cosa intendesse, così lei gli portò alcuni esempi: il bracciante agricolo sordomuto che faceva ossessivi schizzi in carboncino e saliva. Il dotto lavapiatti con la memoria fotografica che disegnava ogni uccello che vedeva. Il detenuto che cuciva tableaux di campi da baseball e da football usando i fili colorati che si strappava dai calzini.

La vita diventa parte dell'arte, disse Pru. In casi del genere, un'esistenza senza prospettive non portava alla disperazione, ma a fervidi atti creativi. La maggior parte dei quali andava perduta per sempre. Quando possibile, era un dovere morale recuperare e preservare tali opere.

Citò alcuni amici, o forse amici di amici, gente che bazzicava il mondo delle gallerie con nomi tipo Nico e Eduardo. A Laars non sembrava giusto sfruttare Jill a sua insaputa. Diventò perfido e tirò in ballo la tesi di laurea di Pru, mai completata. *Come si intitolava? Estetica della noia?*

Lizzie finalmente tolse la banana marcia dal frigorifero. La sollevò con un tovagliolo di carta, tenendola il più possibile a distanza. La forma aveva poco a che fare con una banana, come se la materia si fosse liquefatta e riconsolidata diverse volte.

Mise di nuovo a fuoco, quel tanto che bastava per scorgere un nome scritto a pennarello verde sull'adesivo della marca.

Era la banana di Jill, pre-Siberia. Nessuno volle fare il conto.

X. Ricostruire

Laars si presentò al lavoro come se qualcuno l'avesse picchiato in faccia con un calzettone pieno di sale e poi gli avesse insultato la nonna. Non parlava molto e aveva il muso lungo, perciò forse era successo davvero. Si tenevano a debita distanza. Aveva un caratteraccio e una volta aveva fatto a botte con un tassista sotto il ponte di Brooklyn.

Prima di pranzo inviò una mail a Lizzie e le disse

che era andato dal dentista per la prima volta in sei anni e adesso era profondamente depresso. Tutte le vecchie otturazioni, le otturazioni della sua infanzia, rischiavano di staccarsi. Poteva strozzarsi e *morire*. Bisognava sostituirle. Le aveva odiate per anni ma ormai si era affezionato, perso nei ricordi dell'imponente odontotecnica che odorava di fiori e gli teneva la mano durante l'operazione.

Il dentista lo chiamava *bruxismo*, il digrignamento inconscio dei denti. Erano molto logorati. Certi molari andavano ricostruiti.

Il dentista aveva detto che accadeva di notte. Laars si permise di dissentire: ma come faceva a saperlo? Il dentista stava tentando di chiedergli con delicatezza se c'era qualcuno che dormiva con lui, qualcuno che potesse tenerlo d'occhio durante la notte. Questo lo depresse ancora di più. Inoltre il dentista non disse esplicitamente *una ragazza*, e quindi forse Laars stava dando di nuovo l'impressione di essere gay, un problema che aveva di tanto in tanto.

Mi servono dei denti nuovi e mi serve una donna, scrisse. Rinunciava formalmente al voto di castità (una buona mossa a prescindere, probabilmente). Non stava cercando di rimorchiare Lizzie, ma d'altra parte non gli sarebbe neanche dispiaciuto. Ma sì, perché no? Le storie tra colleghi non lo disturbavano. I suoi denti erano più importanti delle direttive di Maxine sulle molestie sessuali.

La cosa peggiore era che doveva mettere un paradenti tutte le notti. Un laboratorio in Michigan ne stava modellando uno tutto per lui, basandosi sul calco dentale. Perfino con l'assicurazione, gli sarebbe costato qualcosa come nove milioni di dollari.

La maggior parte di queste informazioni erano contenute in un'e-mail spedita a Lizzie, in risposta a un semplice *Come butta?*

Lizzie lavorava in multitasking mentre leggeva le lamentazioni di Laars. Stava rimaneggiando un report scritto da Jonah, setacciandolo per le frasi troppo lunghe e cambiando tutte le costruzioni attive in passive. Jonah aveva una scrittura molto fluida, forse anche troppo. Se scomponevi graficamente la struttura grammaticale delle sue frasi, il risultato ricordava una mappa della metropolitana sovrapposta agli avanzi di una cena di pesce. Probabilmente Lizzie era quella che sapeva scrivere meglio, ma mica se la tirava per questo. Perché lei era una *coi piedi per terra.*

Un'altra parte del cervello di Lizzie era impegnata in un lungo dialogo in chat con Pru, a proposito della presunta dipendenza da Stilnox che stava sviluppando. Pru era la persona più adatta a cui rivolgersi per una cosa del genere. Aveva fama di essere completamente schiava dello Stilnox e conosceva il gergo farmacologico a menadito.

La diagnosi del dentista sulla causa del digrignamento era: stress. Laars scrisse a Lizzie che prima non si sentiva stressato, ma adesso sì. Si sentiva stressato oltre ogni dire. L'alto costo del paradenti lo tormentava. E anche l'idea che il suo corpo si muovesse da solo nel cuore della notte, senza che lui ne fosse cosciente.

Forse era stata la scoperta della *Jilliad* a spingerlo sull'orlo dell'esaurimento.

Il bruxismo è una brutta storia, scrisse Laars. *E se inizio a fare il sonnambulo? Se mi butto giù da un ponte?*

Lizzie gli disse di mantenere la calma. Non aveva fiumi sotto casa. Sì, c'era una remota probabilità che scendesse le scale nel sonno, uscisse in strada e prendesse un taxi fino all'Hudson. Ma se non portava con sé il portafogli, difficilmente ce l'avrebbe fatta.

Più tardi Pru passò vicino alla scrivania di Laars. Nel cestino c'era un opuscolo preso nello studio del dentista intitolato *I denti e le loro conseguenze*. Era pieno di pastrocchi, forse macchiato di lacrime.

Crease cercò di allettare Laars con una sigaretta. Laars uscì e l'accese, ma poi si ricordò che il dentista gli aveva ordinato di non fumare. Crease fece qualche battuta sui denti di Gramo, un vecchio stereotipo sugli inglesi, per far sentire meglio Laars. Gramo sfoderò una dentatura scintillante e perfettamente allineata. Laars si sentì ancora peggio.

Gramo disse: *Ciao, belli.*

XI. Il mondo fuori

Big Sal del reparto informatico disse scherzando che, a forza di correre da una scrivania all'altra, stava perdendo peso. Il programma di posta elettronica era stato aggiornato una settimana prima e adesso tutti quanti avevano rogne. Purtroppo per Big Sal, ognuno aveva una rogna diversa.

Ogni volta che Laars o Lizzie scrivevano a Jonah, Pru o Crease, le virgole si tramutavano in questi simboli mistici:

â є □

Sembrava un commento liofilizzato sulla storia dell'Europa.

Tutti gli apostrofi di Pru si trasformavano in ™, raggelante anticipazione della futura legge sulla proprietà intellettuale.

Nelle mail di Crease tutte le virgole diventavano punti interrogativi, quindi prima di cliccare su invia doveva ricordarsi di ricontrollare tutto il messaggio e cambiare ogni virgola in un punto, due punti o tre puntini. Altrimenti l'avrebbero scambiato per Paris Hilton.

Jonah si lamentava perché non funzionava il tasto del punto. Inviò uno *stream of consciousness* a Lizzie, che inserì dei punti fermi ogni volta che le sembrava opportuno. Jonah disse che il suo portatile era un *porcatile*. Erano mesi che li tampinava per farselo cambiare. Testa di cavolo l'aveva autorizzato a comprarsene uno e metterlo in conto spese, ma Jonah sapeva che in quel caso non avrebbe mai rivisto i suoi soldi.

La tragedia era che la ranocchia antistress messicana di Jonah risultava ancora dispersa. Mise a soqquadro l'ufficio. Chi poteva averla rubata? Forse aveva assorbito così tanta negatività che non le era rimasta altra scelta che saltellare via. Anche i totem perdono la pazienza. La scomparsa della ranocchia antistress messicana era già stressante. Sommata a tutto il resto, era troppo, e Jonah si prese un giorno di permesso, un bonus che aveva strappato a Testa di cavolo visto tutti gli straordinari che aveva fatto.

In quel periodo Testa di cavolo non era quasi mai nel suo ufficio. Era forse ai piani alti, a discutere di cifre con K. e Maxine? Sulla West Coast, a negoziare con i californiani? O semplicemente a casa sua, a girarsi i pollici e bere gin?

Pru fece quella che sarebbe stata universalmente riconosciuta come la scoperta più importante nella *Jilliad*, a metà di pagina 27:

> *Siete un Ernie o un Bert? Ve lo ricordate quel duo comico della vostra infanzia? Ernie è un tipo spensierato, sempre in vena di frizzi e lazzi, pronto a prorompere in scoppi di risa... di solito a spese di Bert. Bert, d'altro canto, è l'esatto opposto: un tipo serio, determinato, ordinato. È un ossessivo, il genere di persona che probabilmente passa un sacco di tempo a sistemare il cassetto dei calzini. È goffo, forse un po' imbranato.*
> *Molte persone preferiscono immedesimarsi in Ernie: i più spassosi e divertenti. Va benissimo, fino a un certo punto. Ma indovinate un po'? Il vostro capo non vuole un ufficio pieno di spiriti liberi. Un personale del genere non concluderebbe niente e passerebbe le ore dalle 9 alle 17 a grattarsi la pancia e limarsi le unghie. Molto probabilmente il vostro capo è un Bert, e nel suo team vorrà tanti altri come lui. Non li vorreste anche voi?*
> – *Ernie e Bert in consiglio di amministrazione*, del Dott. Prof. Tal Champers

Il tormentone da quel momento divenne capire chi era un Ernie e chi era un Bert. Era vero: tutti volevano essere Ernie. Gli animi si surriscaldarono. Si decise che Lizzie, Jenny e Jonah erano un Bert, e gli altri erano un Ernie o una via di mezzo tra Ernie e Bert. Lizzie protestò, ma non riuscì a influenzare l'opinione pubblica.

Jenny fece eccezione. Accettò cortesemente il giudizio dei suoi pari. *Bert mi è sempre piaciuto*, disse. Il giorno dopo indossò una camicetta a righe verticali dai colori stridenti. Jonah non era presente e non poté intervenire, ma probabilmente se ne sarebbe fregato. Era diventato un Bert assoluto.

Stranamente, a nessuno venne in mente che Testa di cavolo fosse un Bert. Forse sarebbe stato un supervisor migliore, si dissero, se solo *fosse stato* un Bert.

K. era sicuramente una Bert.

Jack II una volta era un Bert irriducibile, ma ultimamente era diventato un po' più Ernie, un'impressione suffragata dalla progressiva rotondità, specialmente sulle guance.

Gramo, essendo inglese, non aveva capito una mazza: credeva che Ernie e Bert fossero personaggi dei fumetti o chissà quali giocattoli. E così i colleghi si misero a mimargli le varie scenette degli anni passati. Laars fece una passabile imitazione di Ernie, e Lizzie, pur continuando a negare di essere una Bert dentro, fece un ottimo Bert.

Ogni tanto facevano una scenetta in cui si avvicinavano troppo alla telecamera e tipo che gli si staccava il naso, spiegò Pru, lasciando Gramo ancora più all'oscuro.

Gramo è un Ernie al cubo, concluse poi Lizzie, *ma ha le sopracciglia di Bert.*

Jack II non mollava più la scrivania. Se ne stava seduto come un pascià sulla sedia girevole, con le maniche arrotolate fino alle ascelle e i piedi scalzi infilati sotto le gambe incrociate. Ogni momento libero veniva dedicato alla gestione del suo blog: un'attività da Ernie, a prima vista, benché i blog favorissero anche un'ossessività alla Bert. Postava foto di alberi dai rami spogli, tombini, il cane della sorella, il palazzo a forma di infinito che veniva su accanto al nostro.

Gli altri cominciarono a evitarlo. Se entravi nel suo campo visivo, ti chiedeva: *Vai per caso dalle parti del caffè?* Si comportava come se fossero tutti suoi servi.

Pru gli vietò espressamente di postare estratti della *Jilliad* sul blog finché non veniva trascritto tutto quanto. Era forse la *sua* epopea del benservito: cavalcare la scoperta della *Jilliad* per poi magari curarne la pubblicazione? Royalties editoriali, diritti cinematografici. Ormai monopolizzava il taccuino da settimane. Diceva che stava trovando roba nuova ogni giorno e non voleva interrompere lo slancio. Laars aveva perso la pazienza.

Qualcuno vuole qualcosa dal mondo esterno?, domandò Lizzie.

XII. La nuova epopea del benservito

Come riuscì Jack II a passare dal meticoloso Bert allo scanzonato Ernie? Gli studiosi concordano sul fatto che a un certo punto dell'anno precedente, poco dopo che Jules era stato licenziato, qualcosa fosse mutato nella sua mente. Cominciò a vedere l'ombra del fallimento ovunque.

Tutti sapevano che non l'avrebbero mai licenziato, ma nella sua mente era come se fosse già un fatto compiuto. Da qui gli orari irregolari, il blogging spudorato, le due o tre telefonate personali chilometriche ogni santo pomeriggio. Svolgeva ancora il suo lavoro con precisione e celerità à la Bert, ma queste stesse qualità lo infastidivano. Gli suggerirono di costruire un Jack II robot e mandarlo in ufficio tutti i giorni al posto suo. Lui se ne poteva restare a casa in pigiama e aggiornare il blog.

Il soprannome Jack II iniziava a fargli girare le scatole. Che cosa aveva di tanto speciale il Primo Jack? Perché non era capace lui, Jack II, di soppiantarlo come *l'unico e il solo* Jack?

Ci misero un po' ad accorgersene, ma aveva smesso di elargire massaggi spontanei. *I Jackmassaggi quasi quasi mi mancano*, disse Lizzie.

Aveva un documento, sul desktop del computer, intitolato CheFareDiMeStesso.doc, una lista di persone da contattare, possibili vie di fuga. Il più interessante di questi contatti era suo zio, un vero magnate del petrolio. Jack II diceva che la sua famiglia e lo zio avevano troncato i rapporti quindici anni prima, ma forse valeva la pena fare un tentativo. Alla laurea lo zio gli aveva regalato un set di penne e un astuccio per biglietti da visita, ancora inscatolati. Jack II non ricordava più se gli aveva spedito un biglietto di ringraziamento.

Adesso parlava dei progetti di lavoro in cupe varianti al condizionale, dicendo che avrebbe svolto un determinato compito *posto che sia ancora qui*. Anche le mail più informali avevano un tono apocalittico. *Non dimenticherò mai questo posto*. In ufficio la pensavano più o meno tutti così, ma Jack II aveva davvero rotto i coglioni.

Una mattina Jack II e Lizzie furono convocati nell'ufficio di Testa di cavolo subito dopo le nove. C'era anche Maxine, ma teneva gli occhi fissi sulla moquette. La stanza era già impegnata in una lunghissima e apparentemente interminabile conference call con i nuovi padroni.

I californiani?, scribacchiò Jack II a Lizzie su un foglietto.

Allora esistono!, scrisse lei di rimando.

Quindi adesso erano proprietà dei californiani. *Quando* esattamente fosse avvenuto il passaggio non era chiaro. Come avevano fatto a non accorgersene? Erano mesi che la tiravano per le lunghe, lasciando balenare l'ipotesi. Fino a quel momento nessuno di loro sapeva dire se fosse una cosa positiva o negativa, ma adesso a conti fatti sembrava proprio una cosa negativa.

A differenza dei vecchi dirigenti, ogni parola pronunciata dai nuovi padroni si sentiva con orribile chiarezza, da qualunque parte del paese venisse. Continuare a considerarli *i californiani* probabilmente non era l'idea migliore, perché evocava un'immagine da sfaccendati con occhiali da sole, naso zincato e tavola da surf sotto braccio. Dalle prime sillabe, era evidente che questi non erano il tipo di californiano che se ne sta sdraiato sul bordo della piscina. Volevano nuovi cartellini per tutti i dipendenti, una nuova centralinista formata nelle loro strutture, codici personali per la fotocopiatrice e le chiamate interurbane, telefoni a gettone da installare all'ingresso per le chiamate non aziendali, un'infinità di altre complicazioni. A ogni impiegato presto sarebbe stato richiesto di creare una nuova password di accesso composta da un mix di lettere maiuscole non in sequenza, un numero primo a tre cifre e un segno di interpunzione, per poi cambiarla ogni mese inviando un modulo Excel a un sito protetto di Oakland. Era semplicemente la *procedura operativa standard*.

Ogni richiesta sembrava una cinghia in più allacciata a una camicia di forza.

Cosa c'è a Oakland?, scrisse Lizzie.

I californiani dicevano cose tipo *con effetto immediato* e *ottemperanza obbligatoria*. Lizzie immaginò che nella sala del consiglio d'amministrazione della West Coast ci fosse un bersaglio per le freccette con una frase severa stampata su ogni spicchio. I californiani sceglievano le frasi a casaccio. Era un mondo nuovo, fatto solo di bastoni e niente carote.

La carota è che non ti sbattono fuori, bisbigliò Lizzie.

Sicura che sia una carota?, bisbigliò Jack a sua volta.

Eh?

Niente.

Che hai detto?

Niente.

Testa di cavolo continuava a stringere il pugno e quasi lo sbatteva sul tavolo. Sembrava un esercizio da scuola di mimo. Le maniche erano arrotolate, la cravatta allentata.

Non avete ricevuto il pdf?, inquisì uno dei californiani. *Non avete letto il file?*

Il completino di Maxine si poteva definire da *studentessa cattolica con capacità extrasensoriali*. Come se prima di uscire di casa sapesse già che sarebbe accaduto qualcosa di terribile.

Lizzie decise che Maxine era una Bert per quanto riguardava l'abbigliamento, ma probabilmente una Ernie su tutto il resto.

La pressione sanguigna collettiva s'impennò di colpo appena entrò nella stanza Henry dell'Ufficio Personale. Per un attimo sperarono che fosse passato lì per altre questioni, ma Testa di cavolo gli fece cenno di sedersi. Henry dell'Ufficio Personale guardò fuori con i suoi occhi da supereroe, leggendo oscuri presagi nelle nuvole o guardando sotto la camicetta di una tipa a due viali di distanza.

All'inizio Lizzie e Jack II pensavano che i californiani stessero attuando la tattica del poliziotto buono e del poliziotto cattivo. Ma al telefono erano in tre e a quanto pare attuavano la tattica del poliziotto cattivo, del poliziotto cattivo e del poliziotto *molto* cattivo. Erano dei Bert passati anima e corpo al lato oscuro della forza.

Il poliziotto peggiore, una donna, disse che intendeva cacciare Maxine. Lo pronunciò *Maxie*, senza la *n*. Testa di cavolo scosse la testa mentre diceva, *Certo*, stritolando il bordo della scrivania con la mano destra.

Con effetto immediato, disse con tono piccato uno dei nuovi. *Maxie è ancora lì?*

Oltre alla consonante, Maxine aveva l'aria di avere appena perso un arto abbastanza importante. Testa di cavolo rispose ai californiani che non era più nella stanza. *È in riunione con un cliente.* Quella bugia detta d'impulso, completamente inutile, aveva qualcosa di commovente. Disse che avrebbe comunicato a Maxine il cambiamento di posizione subito dopo la telefonata. Lizzie si sforzò di capire se aveva pronunciato la *n*.

I californiani cominciarono a insultare l'operato di Maxine, definendolo non all'altezza, il peggio del peggio, *una chiavica*. Maxine non disse una parola. I progetti per la conquista del mondo erano giunti alla fine, almeno in quell'ufficio.

Henry dell'Ufficio Personale, una specie di becchino risoluto con un'espressione di solidarietà, aprì una cartellina e senza dire una parola allungò a Maxine un foglio di via. Testa di cavolo stava scorrendo alcuni file sul suo computer, inclinando lo schermo per trovare l'angolazione giusta, come se per qualcuno potesse fare ancora la differenza. Lizzie udì un *plif*: una lacrima era rotolata dalla guancia di Maxine e aveva colpito il modulo che le avevano appena consegnato. Senza sollevare la testa, Maxine chiese con un filo di voce se potevano prestarle una penna. Lizzie le porse la sua preziosa Gel-Magik 8000 giapponese, regalo di Jason, sapendo che non l'avrebbe rivista mai più.

Altre lacrime picchiettarono la carta, come la pioggia su una tenda.

Continuò. Nessuno era preparato a questo tipo di pianto, non da Maxine. Finì di compilare il modulo e Henry la accompagnò fuori. Aveva un'aria distrutta, ma era più bella che mai.

Uno dei californiani, il poliziotto cattivo di mezzo, iniziò a parlare di Phoenix, a quanto pare una delle loro città. Chiese a Testa di cavolo se sapeva cos'era Phoenix. Non *dove*, ma *cosa*.

Era tutto un preludio a una battuta finale che probabilmente riciclavano da anni.

Phoenix si chiama così perché è una città nata dalle rovine, come una fenice. Domandò se dalle parti di New York conoscessero la storia della fenice risorta dalle ceneri. *Ed è esattamente quello che faremo con questo posto.*

Vogliono fare terra bruciata!, sussurrò Lizzie, ma Jack II non rispose. Era pallido come un cencio, gli girava la testa. All'angolo della bocca gli si era formato un herpes a tempo di record, e continuava a leccarsi le labbra, martoriando quella vescichetta dolorosa.

Gli altri californiani fecero notare, in termini drastici ma vaghi, che l'ufficio aveva gestito male New York, come se tutta la città fosse sfuggita di mano, caduta a terra, ammaccata in modo irreparabile. New York – tutta New York? – era *allo sfascio*.

Nevica, disse Lizzie a Jack II con il labiale. Vide che tremava come un budino e si domandò se non fosse il caso di mettersi a tremare anche lei.

Dal telefono arrivò la voce di K., un tantino più stridula di quella dei californiani. Era al piano di sopra, nel suo ufficio a vetri, e senza dubbio contemplava una lavagnetta bianca con cifre scritte in colori diversi. Parlava senza esitazione, frasi complete, eloquio continuo. Mentre lei parlava, Testa di cavolo si allontanò a poco a poco dal telefono, fino a essere tutt'uno con la parete. Sulle prime sembrava che stesse difendendo Testa di cavolo e il suo team. Passi per Maxine, ma probabilmente avrebbe posto un limite a ulteriori licenziamenti. Il personale era già ridotto all'osso, di questo passo sarebbero rimasti soltanto un paio di costole e una rotula. Poi però fece una domanda strana a Testa di cavolo, che era già pallido e sbiancò ulteriormente prima di biascicare *Non lo so*. Gli chiese un'altra cosa, e un'altra cosa ancora, e poi ancora un'altra, e lui rispose: *Non lo so proprio. Controllerò. In questo momento mi sfugge.*

K. non disse niente.

I californiani non dissero niente.

Lizzie aveva un maglioncino rosa e guardava la neve.

Poi K. disse: *Bene,* vedi di saperlo*, una buona volta!*

Testa di cavolo convenne sul fatto che avrebbe *fatto meglio* a saperlo, giurò che *l'avrebbe* saputo, che avrebbe saputo tutto in pochissimo tempo. Diventò un alfiere della sapienza e delle sue virtù. L'ignoranza non rientrava nel suo carattere. Il resto della telefonata trascorse come le ultime convulsioni di un incubo terribile, la neve che scendeva era inopportuna e splendida, Testa di cavolo sbiancato, K. saldamente schierata con i californiani, o almeno così credeva.

Una volta finito, Testa di cavolo annunciò a Jack II che era costretto a sospenderlo per due settimane. Disse che era una sua decisione, indipendente dalla volontà dei californiani, ma sembrò subito una bugia.

Lizzie restò a bocca aperta. Jack II si guardò le mani così a lungo che assunsero l'aspetto di vinile bagnato. Non riusciva a dire una parola, come se la piaga gli avesse saldato la bocca.

Testa di cavolo congedò Lizzie e convocò Jenny. A Lizzie venne subito in mente che Testa di cavolo aveva chiesto che all'incontro fosse presente *Jenny*, non lei, ma per qualche motivo aveva confuso i nomi. Le confondeva sempre, nonostante Jenny svolgesse quasi la metà del lavoro che toccava a lui.

Jenny entrò e Lizzie si fermò accanto alla porta, senza farsi vedere, a origliare. Testa di cavolo disse a Jenny di accomodarsi. Ci furono dieci secondi di silenzio. Poi le disse di andare da Henry nell'Ufficio Personale. Ma perché dirle di accomodarsi, allora? Forse il protocollo imponeva che la vittima sacrificale fosse seduta, per impedire azioni legali imperniate su eventuali lesioni da svenimento.

Significa che sono licenziata?, domandò Jenny, le mani sui braccioli, pronta ad alzarsi.

Significa che dovresti andare da Henry nell'Ufficio Personale.

Se mi licenziate mica mi metto a piangere, disse lei, alzandosi e sbattendo il ginocchio contro il bordo della scrivania, per poi tornare a sedersi.

Quando Jenny finalmente uscì, respirava a un ritmo pauroso e incontrollato, come se fosse appena rotolata giù da una rampa di scale. L'interfono fece un bip e la voce di K. tornò a tuonare. Lizzie non si perse una parola. All'inizio pensava che K. stesse dicendo qualcosa a Jenny, condoglianze di vario tipo, ma in realtà aveva cambiato completamente argomento. A quanto pare se ne rese conto anche Jenny, e uscì barcollando per andare da Henry nell'Ufficio Personale. K. stava rimproverando Testa di cavolo per avere gestito male la conference call. Disse che quella era la prova del fuoco e lui l'aveva fallita. *In che senso era una prova?*, chiese Testa di cavolo. *Non lo so cosa mi aspettavo da te, ma non mi aspettavo* questo, disse K. *Ho detto: In che senso era una prova?* K. si mise a ridere. *Lo sai che sei imbarazzante? È stata la giornata più imbarazzante della mia vita.* Restò al telefono con lui altri dieci minuti, ripetendo *imbarazzante* ventisette volte. Crease tenne il conto.

XIII. Ambiente di lavoro americano, inizio ventunesimo secolo

Scappando dall'Ufficio Personale, Jenny rovesciò un cestino, si fermò per rimetterlo a posto, poi ci ripensò. Sembrava la trasgressione più forte della sua vita adulta, e impiegò qualche istante per accettarne l'enormità. Simboleggiava una rottura improvvisa nel suo universo morale, la fuga impetuosa verso una vita criminale. Un istante dopo si accorse che aveva gettato a terra un Kleenex smocciato e inzuppato di lacrime, *lasciandolo lì*. Per quanto la riguardava, che ci restasse per sempre! Poteva fossilizzarsi per ere geologiche e lasciare perplessi i futuri archeologi con l'elevato contenuto salino.

Stringendo i pugni, le sue manine erano diventate rosse, il viso era rosa acceso, le guance quasi della stessa tonalità del maglioncino di Lizzie.

Dovrei sorridere, disse Jenny, ricacciando indietro le lacrime. *Giusto?*
Le tornarono in mente inutili passi della *Jilliad*. Fissò la sua roba.

Se il capo è un intralcio, trovati un nuovo capo.
Pensate all'ufficio come a un transatlantico.

Lizzie appoggiò una mano sulla spalla di Jenny e la scortò così per un po'. Si trasformò in una processione, man mano che gli altri si univano a loro lungo la lunga strada verso l'ascensore.
Jack II se n'era già andato da un pezzo. Il suo cubicolo sembrava già nella teca di un museo: *Ambiente di lavoro americano, inizio ventunesimo secolo.* Il salvaschermo si era attivato: un esercito di creature simili a puffi impegnate a scavare tunnel luminosi che s'intersecavano sullo schermo nero.

Scesero tutti giù in silenzio. Erano le tre del pomeriggio, ma cavolo un drink ci voleva. Fuori Pru stava fumando e Jenny le annunciò con un filo di voce quello che gli altri sapevano già, l'elenco completo delle vittime. Pru le avvolse il braccio intorno al collo in un modo complicatissimo, di modo che non dovesse mollare la sigaretta.
E Maxine dov'è?, disse qualcuno.
Jenny ancora non aveva attaccato a piangere ma sembrava che lo facesse qualcun altro per lei. In realtà era il cigolio della gru nel cantiere in fondo alla strada, che calava il suo carico voluttuoso. Il palazzo infinito stava prendendo forma, e buona parte del vetro

curvo azzurrato per i piani inferiori era già a posto.

Passando, videro i loro volti riflessi. Quando alzarono gli occhi si accorsero che aveva cominciato a nevicare sul serio, così in fretta che a loro sembrò di levitare. Il mondo si stava precipitando incontro al cielo? Tra un drink e l'altro Jenny si diede una calmata e poi crollò di nuovo. Sembrava che si stesse decomponendo, e per il resto della serata continuò a piangere o a essere sempre sul punto di. *Non mi vedrete più, ragazzi, mai più*, disse, singhiozzando. Sapevano che era vero ma smentirono ugualmente.

Jules lo vediamo sempre, dissero. *Andiamo al ristorante del tostapane*. Il tempo del verbo era ambiguo. C'erano andati soltanto una volta in comitiva e, possibilmente, non ci avrebbero più messo piede.

Ma Jules è diverso, disse Jenny. *Jules è divertente. Io sono così noiosa. Mi dimenticherete tutti. Va bene. Va bene.*

Jules è uno sciroccato.

Ci terremo in contatto, disse Pru. *Ci sentiremo via mail*. Pru era sempre realistica in questo genere di cose.

Gramo fece una capatina sul tardi. Insistette per pagare da bere a tutti e disse che aveva aperto un conto al bar ma non aveva mai trovato il tempo di sfruttarlo.

Malgrado i pianti, Jenny aveva una buona cera, anzi, nettamente migliore del solito.

Gli occhi luccicavano e il broncio era affascinante. Il giorno dopo, fioccarono i commenti salaci.

Jenny disse che sembrava pazzesco, ma era convinta che l'avessero licenziata perché aveva mandato per sbaglio quell'e-mail a Kristen.

Chi è Kristen?, disse Laars.

Vuoi dire Karen?, disse Crease.

Quale mail?, disse Pru.

Vuol dire K., disse Laars. *Io pensavo che si chiamasse Kierstin.*

Gramo non aveva capito una mazza. Jenny gli spiegò che doveva inoltrare una cosa a Jill, ma aveva schiacciato la *K* invece che la *J*. E nel campo del destinatario era apparso il nome di K.

Questo sarebbe diventato un elemento fondamentale dell'epopea del benservito di Jenny.

Lei sapeva che il nome era sbagliato, che *Jill nemmeno lavorava più da noi*, ma aveva cliccato su invia prima che la mente prendesse coscienza del fatto.

Ma non era successo qualche mese fa?, domandò Lizzie. Jenny disse di sì, ma era accaduto *di nuovo* una settimana prima.

Crease pagò un altro giro per Jenny. Stava provando a chiamare il cellulare di Jack II, ma non rispondeva nessuno.

Ti prego, se senti questo messaggio richiama, disse Crease.

Lizzie domandò a Jenny cos'è che aveva inoltrato a K.

Questa è l'altra cosa da sclero, disse Jenny. Voleva girare a Jill il link al sito con le barzellette sui polacchi, per farle vedere quant'era scema Maxine. Forse era anche responsabile del licenziamento di Maxine.

Ah, e un'altra cosa, aggiunse Jenny.

Aveva anche inserito un link al blog di Jack II, con la nota: *Dagli un'occhiata, non ci sta più con la testa!*

Le due settimane di sospensione di Jack II si conclusero con la rescissione del contratto. Non mise mai più piede in ufficio. Era inquietante vedere una persona tutti i giorni e poi perdere completamente i contatti. Curiosamente, il suo cellulare smise di accettare messaggi pochi giorni dopo la sospensione, come se anche la compagnia telefonica trovasse da ridire su di lui, e quando uno di loro tentò di contattarlo una settimana più tardi, il numero non era più attivo. *Come se non fosse mai esistito*, commentò Jonah.

I cubicoli vuoti rimbombavano. Verso sera, quando imbruniva, l'ufficio sembrava la carcassa di una balena insabbiata, spaccata, immensa, esposta, fin troppo intima.

Crease aveva l'abitudine di fischiettare camminando dalla metropolitana all'ufficio, ma adesso non lo faceva più. Prima gli capitava diverse volte alla settimana di incontrare Jack II che convergeva sull'edificio dalla parte opposta. Jack II era un po' l'ombra di Crease in centro, il suo riflesso allo specchio.

La roba di Jack II era ancora tutta nel cubicolo, bicicletta compresa. Nessuno sapeva cosa fare. Davano per scontato che sarebbe tornato a prenderla, ma invece arrivarono i Fratelli Kohut a smantellare tutto. Anche la bicicletta finì dentro uno scatolone che i fratelli, chiunque fossero, riempirono di fogli di carta a bolle e impacchettarono con il nastro adesivo. Laars diede un'occhiata in giro per cercare un CD che gli aveva prestato, ma era andato pure quello.

Più tardi ebbero l'idea di recarsi alla scrivania di Maxine, con la segreta speranza di trovare dischi rotti nel cestino, altri documenti scartati per la conquista del mondo, frammenti che riguardassero l'operazione JASON o contenessero le fantasie segrete di Maxine su di loro. Ma il suo spazio era ancora più deserto di quello di Jack II.

Laars finalmente ricevette il paradenti dal Michigan. Iniziò a metterselo anche al lavoro.

Mi sembra di digrignare i denti anche quando sono sveglio, disse.

Ora che Jenny era andata via, non funzionava più niente. Si svolgeva tutto nella confusione più totale. Cose che davano per scontato di conoscere a menadito adesso sembravano imperscrutabili. *Qualcuno mi sa dire come si aggiunge una colonna in Excel?*

C'erano scatole ammassate ovunque, schedari fuori posto, che davano all'ufficio l'aspetto di un alveare, di arnie in attesa di esplodere. Lizzie si trafiggeva i capelli con non meno di tre penne. *È un modo per misurare il livello di ansia*, fece notare gentilmente Pru.

Dopo giorni di training, Laars prese il coraggio a quattro mani e chiese audizione a Testa di cavolo per parlare del licenziamento di Jenny e di Jack II. Quando avevano spedito a casa Jill non avevano reagito abbastanza, anzi: per niente. Laars non voleva che accadesse di nuovo.

Il guaio era che Laars, tanto bravo a esporre le idee tra colleghi o davanti a una birra media, a colloquio con Testa di cavolo tendeva a farneticare come un demente o a fare scena muta. Quel giorno aveva optato per la prima soluzione (anche se ogni tanto si metteva a litaniare). Il fattore demenza era supportato dal fatto che per la prima metà dell'incontro Laars aveva tenuto in mano il paradenti, agitandolo di tanto in tanto con aria minacciosa. Testa di cavolo se la rideva: *Uuh-uuh*. Alzò le mani al cielo, quasi all'altezza delle spalle, con i gomiti sui fianchi, un gesto cristologico di innocenza sottoposta a vessazione.

Pensa all'ufficio come a un work in progress, disse infine Testa di cavolo.

È inutile prendersela con me, disse Testa di cavolo.

Sono sconvolto quanto voi, disse Testa di cavolo.

Poi fece un'affermazione stupefacente, suffragata da accurata documentazione: Jenny e Jack II erano di gran lunga le persone meno produttive del team.

Ho bisogno di gente che dà il massimo, disse Testa di cavolo, scartabellando due fogli di carta con studiato cipiglio. *A questo punto la faccenda non è più di mia competenza*.

Non mostrò le carte a Laars, ma gli fece capire che si trattava di valutazioni sul rendimento, piene di dati incontrovertibili. Però non aveva senso. Chi le aveva scritte? Jenny e Jack II erano i più *efficienti*, sul lavoro: lo sapevano tutti. Pianificavano i loro calendari di lavoro con settimane, addirittura mesi, di anticipo. In confronto, gli altri erano delle mezzeseghe.

Testa di cavolo continuò a parlare, non solo del massimo che bisognava dare, ma anche di un *piano B*. Stava farneticando. Valutazioni fasulle a parte, probabilmente era ancora stordito dalla perdita di Jenny, anche se forse un po' meno da quella di Jack II, di cui dimenticava periodicamente il nome.

Laars non sapeva bene che pesci pigliare. Era arrivato a sospettare che Maxine stesse complottando per sbarazzarsi di loro. Ma adesso che era andata via *lei*, il mistero s'infittiva. Possibile che quelle valutazioni sul rendimento le avesse scritte Maxine, ma con incompetenza tale da farsi mettere alla porta?

Perso in domande che non riusciva nemmeno a formulare, Laars adocchiò un curioso appunto su un Post-it, appiccicato su un portascotch:

Era sempre più perplesso. Prima il CD di Maxine sulla conquista del mondo, con il nome di Jason sopra... Adesso questo.

Ma che c'entrava *Jason* in tutto questo? Aveva forse un incarico di alto profilo, più di quanto sospettassero? Era un doppiogiochista?

L'evidenza faceva pensare, per assurdo, che fosse

diventato un deejay, in una stazione radio AM e FM.

Ma se anche fosse, a Testa di cavolo che gliene fregava?

Ovviamente, era possibile che il nome si riferisse a tutt'altra persona: un altro Jason, occulto e potente, che viveva in un bugigattolo sul tetto, mangiava *noodles* precotti e biscottini di pastafrolla e trasmetteva ordini in codice Morse.

Bisogna concedere delle attenuanti, stava dicendo Testa di cavolo.

Il messaggio era un vero rompicapo. Per non parlare della firma, quella *J*: era forse un appunto di Jonah? Di Jenny o di Jack II, buonanima? Laars sentiva vacillare la sua integrità mentale, ma riuscì a copiare furtivamente sul suo blocchetto quelle lettere misteriose, fingendo di prendere appunti, facendo cenni di assenso mentre Testa di cavolo blaterava: *L'ideale sarebbe snellire al massimo l'operazione.*

Mormorando *mm-mm* mentre Testa di cavolo diceva: *Dobbiamo smontare tutto.*

Sorridendo mentre Testa di cavolo esagerava: *E poi rimontare tutto gradualmente.*

L'incontro lasciò Laars talmente depresso che più tardi, dopo qualche secolo alla scrivania, per controllare il rendimento *minuto per minuto* dell'unica obbligazione che aveva, sentì il bisogno irresistibile di spararsi un bombolone.

Testa di cavolo era davanti all'ascensore. Mentre aspettavano, il silenzio divenne insostenibile. Che altro c'era da aggiungere? Nelle pupille di Testa di cavolo, Laars vedeva riflesso il proprio sfinimento. Finalmente entrarono, ma la cabina andava su. Laars ripensò alla *Jilliad*, a quel passaggio dove si consigliava di tenere sempre pronta un Discorso da Ascensore. Stava per dire qualcosa, ma poi Testa di cavolo cominciò a parlare, come se volesse riprendere la conversazione di prima.

In quel nuovo ambiente, in quel recinto claustrofobico, Testa di cavolo spiegò che i costi andavano ridotti di una cifra fissa ogni mese. I californiani volevano risultati. Il rimedio più veloce, per il momento, era quello di mandare a casa i collaboratori esterni. Nessuno poteva sentirsi al sicuro.

Adesso tocca a noi, disse Testa di cavolo. *Dobbiamo abituarci a lavorare in condizioni disperate.*

Laars continuava a pensare a Jason, ma non ricordava più com'era fatto. Si erano quasi sovrapposti. Testa piccola, lineamenti gradevoli (sarebbe orribile, pensò, se qualcuno mi ricordasse così). Si concentrò di più. Riuscì a visualizzare l'unica ruga profonda sulla fronte altrimenti liscia di Jason. Nei momenti di concentrazione o di forte malessere assomigliava a una seconda bocca.

Testa di cavolo disse che la riduzione delle spese era un obiettivo a lungo termine, e avevano un anno per realizzarlo. Ah be', questo sì che avrebbe dato la carica a Laars (per stimolarlo a sloggiare). Testa di cavolo non disse nulla sul fatto che i dipendenti rimasti adesso dovevano smaltire tutto il lavoro in sospeso, nella stessa quantità di tempo e per la stessa quantità di soldi.

Laars si domandò per quale motivo Testa di cavolo stesse rivelandogli tutte queste cose: sicuramente

La Jilliad avrebbe trovate le parole giuste per un capo che sbrodola così davanti ai sottoposti. Poi gli tornò in mente il Post-it: DJ. Jason era più portato al talkshow sui temi d'attualità o si accontentava di un programma soft notturno? Laars non riusciva a ricordarsi la faccia, *figurarsi* la voce.

Al settimo piano la porta dell'ascensore si aprì. Non c'era nessuno. Poi spuntò la fiamma segreta di Crease e salì a bordo. Laars avrebbe voluto mandargli un SMS: DODAI ASCENS IPD!, ma Testa di cavolo stava ancora blaterando. Disse che le sospensioni sarebbero andate a rotazione per almeno il resto dell'anno. Poi non restava che sperare in *un raggio di sole*.

La DODAI fissava i numeri che lampeggiavano a turno verso il basso, tamburellando leggermente con la punta del piede.

Queste cose di solito sono cicliche, continuava a borbottare Testa di cavolo. Muoveva il dito per aria, ma non con un movimento rotatorio o circolare. Era più simile a un quadrato che si trasforma in asterisco.

Grazie a Dio l'ascensore arrivò al piano terra. La DODAI uscì e con quattro falcate mozzafiato svanì nel sole.

In quel momento esatto Gramo varcò la porta d'ingresso, diretto al lavoro. Fece il gesto di puntare una pistola contro la guardia giurata, che posò la Bibbia e finse di cadere all'indietro in un lago di sangue, per poi rialzarsi tra le risate.

Sali con me, Russell?, disse Gramo a Testa di cavolo, che annuì e tornò su con lui, impostando subito un altro Discorso da Ascensore.

Nessuno riusciva a capire una mazza dell'appunto su *DJ Jason*.

Cioè, non ho capito, adesso lavora alla radio?, domandò Jonah. L'unica cosa che ricordava era che Jason aveva dei gusti musicali agghiaccianti (l'affermazione fu accolta con scetticismo, venendo da un appassionato di lirica ceca).

Laars passò un'ora, due, il resto del pomeriggio, a cancellare lentamente tutta la corrispondenza e-mail con Jenny. Dopo un po' leggere quei messaggi divenne troppo doloroso, e così si limitò a scorrere quello che c'era scritto nell'oggetto.

Ehi
Tra l'altro
Ehi Laars
domande
idea
Re: Ehi Laars
Re: Re: Jenny
Ciao!
Re: domande
report
Re: report
Guai in vista (??!)
Come non detto
Re: Come non detto
Re: Idea
scusa
Ehi
Re: Ehi
NEIN!
ciao
Una cosa
cavolata

beh?
Re: Come non detto
Non dimenticare...
Re: Ciao!
Re: Re: report
aperitivos
Re: cavolata
Cavolacci
Re: NEIN!
Re: Re: Re: Ehi Jenny
Re: Re: idea
Re: Re: Re: report
Re: Re: Re: Re: Re: Re

Chissà quante mail scriveva alla settimana, al mese, all'anno. Un giorno si sarebbe messo lì e le avrebbe contate tutte. Si rese conto che aveva scritto a Jenny soltanto due volte da quando era stata licenziata. Iniziò a scriverle un messaggio, ma non gli veniva in mente niente da dire.

Lizzie era la nuova Jenny? Lei negava. Testa di cavolo, però, continuava a chiamarla, e di lì a poco la fece spostare alla vecchia scrivania di Jenny, di modo che fosse più vicina al suo ufficio. Questo comportava anche che lei arrivasse in ufficio prima di lui, una situazione che sarebbe stata anche accettabile se avesse potuto uscire un po' prima. Invece restava sempre fino a tardi: altrimenti era impossibile portare a termine anche solo una minima parte degli incarichi. Lui si rivolgeva a lei con un tono di voce appena percepibile. Lei continuava a ripetere *Prego?* Non sopportava quando la gente diceva *Prego?* invece di *Come, scusa?* Le sembrava una roba da fighetti. Ma chissà perché, era la prima risposta che le veniva.

Era *positivo* essere la nuova Jenny? Sì e no, ma fondamentalmente no. Adesso Lizzie aveva una sedia leggermente più comoda e un computer decisamente migliore (che non sembrava sul punto di esplodere ogni volta che apriva un'applicazione). Ma non prendeva un centesimo in più e sicuramente lavorava il triplo. Una parte consisteva in quello che lei definiva «lavoro concettual-manuale», per esempio temperare le matite di Testa di cavolo e compilare le etichette per le spedizioni. Si sentiva precipitare nel pozzo senza fondo del mansionario.

Non era esattamente una *retropromozione*. Probabilmente era una semplice retrocessione.

Testa di cavolo mandava mail a Lizzie anche da casa, a mezzanotte, alle tre del mattino, chiedendole di stampare un file qualsiasi e lasciarglielo sulla scrivania in modo che fosse la prima cosa che vedeva quando arrivava in ufficio. Una volta le fece stampare una lista di cose da fare, ordini criptici che suonavano come se le stesse urlando:

CHIEDI LS X PROX SETT!
CTRL K X CONF CALL
FINIRE TTM?!
ANNULLA CC, M, VX ASAP
TEL OFFICINA MACCH SHEILA!

A volte mandava la stessa lista di cose da fare due o tre volte di seguito, lasciando pensare che le voci non avessero effettivamente una priorità così alta, oppure che lui non avesse niente da fare e scrivesse quello che gli passava per la testa.

Le mandò anche questa:

JASON DJ FM AM J

Esattamente la stessa sequenza del Post-it che aveva visto Laars. Nessuno riusciva a decifrarla. *Jason è veramente un mistero*, disse Pru. *Chi l'avrebbe mai detto?*

A volte, quando Lizzie metteva gli stampati sulla scrivania di Testa di cavolo, non poteva fare a meno di notare certe cose.

La borsa con l'attrezzatura da tennis giaceva abbandonata in un angolo. Non l'aveva mai visto portarla fuori da quella stanza.

Accanto al telefono c'era un blocchetto pieno di disegnini. Di solito Testa di cavolo disegnava farfalle, chiavi di violino, igloo attaccati da dischi volanti. A volte disegnava un bosco fitto con uno stormo di uccelli che usciva a frotte, oscurando il cerchio imperfetto del sole.

Ogni tanto, come una specie di bollettino meteorologico burocratico, apparivano dei Post-it tipo squame su un angolo del monitor di Testa di cavolo. Non era la sua scrittura. I messaggi erano a matita rossa, scritti in uno stile che esagerava al massimo gli angoli acuti di ogni lettera. Persino la O sembrava un rombo. Ogni volta che li vedeva, Testa di cavolo faceva una smorfia di disgusto.

Da dove venivano? Com'erano arrivati?

Lizzie pensava che venissero da K., anche se, da quanto aveva capito, K. era in California una settimana sì e una no, presumibilmente per sottoporsi alla metamorfosi che avrebbe trasformato anche lei in un poliziotto cattivo.

Lizzie era incuriosita dal fatto che Gramo passasse a trovare Testa di cavolo così spesso, a volte addirittura due volte al giorno. Di solito tenevano la porta socchiusa, ma lei riusciva a carpire soltanto dei mormorii, ogni tanto qualche imprecazione, un raro *Uuh-uuh!*

Attenzione: una mattina presto, Lizzie vide uscire Gramo dall'ufficio di Testa di cavolo *prima* che arrivasse Testa di cavolo.

Qualche minuto dopo, appoggiando la solita stampata sulla scrivania, rimase sorpresa da uno strato di Post-it che prima sicuramente non c'era. I foglietti foderavano tutto il monitor, la tastiera e parti della scrivania stessa. C'erano numeri di telefono e iniziali, date e orari, singole parole con un punto di domanda, sottolineate e ripetute.

Una diceva: AGGIORNAMENTO OPERAZIONE JASON – URGENTE.

Lizzie si domandò: era *Gramo* a lasciare quelle note, i Post-it dell'Apocalisse?

Appena arrivò, Testa di cavolo tirò fuori dalla cartellina un blocco per appunti e trasferì tutti i Post-it sul dorso, uno per uno, a un centimetro di distanza l'uno dall'altro. Poi disse a Lizzie che si prendeva un giorno di permesso.

Poco prima che Lizzie uscisse in pausa pranzo, Testa di cavolo tornò per controllare qualcosa sul computer. Lizzie vide avvicinarsi Gramo. Testa di cavolo spense il computer, sbatté la porta e si allontanò frettolosamente da Gramo, dicendo: *Sono qui ma non ci sono*.

Pareva che Jonah non avesse niente da fare. Mentre gli altri erano tutti presi a rivedere la tabella di marcia per farla conciliare con il lavoro svolto in precedenza dagli ex colleghi, lui ascoltava arie ceche, sfogliava voluminosi manuali, attendeva gli sviluppi della situazione. Il suo salvaschermo era uno stormo d'uccelli neri contrapposto a uno stormo d'uccelli bianchi, che alla fine si incastravano stile Escher.

Ogni volta che qualcuno si affacciava da lui per salutarlo, metteva subito giù il libro, nascosto sotto un mucchio di fogli, e picchiettava sulla tastiera per richiamare in vita lo schermo annerito del *porcatile*.

Si stava facendo crescere la barba per accompagnare i baffi. Mentre gli altri cercavano di defilarsi, Jonah praticamente sventolava una bandiera, saltava su e giù e suonava la grancassa per essere più sicuro di farsi notare.

Negli ultimi tempi Jonah indossava spesso la logora camicia da lavoro blu che usava da anni come coprisedia. Non era più tanto loquace, e Pru credeva che – consciamente o inconsciamente – stesse tentando di farsi licenziare. Per assurdo, finirono per apprezzare quel comportamento: avrebbero guadagnato un po' di tempo in più, se lui attirava l'attenzione di Testa di cavolo e si immolava per loro. Lizzie continuava a dire: *Mah, a questo punto quasi quasi spero che tocchi a me.* Volevano andarsene tutti ma nessuno voleva essere il prossimo.

La barba di Jonah cresceva in fretta, ma aveva un colore leggermente diverso dai baffi. Stavolta ci furono meno proteste, visto che i baffi erano stati un fiasco completo fin dall'inizio e le cose, quanto ai peli in faccia, potevano solo migliorare. Nell'Alcova Rossa, Pru fece notare a Lizzie che il look alla Paul Bunyan andava di brutto. I modelli milanesi dallo sguardo vitreo giravano conciati come vittime della Corsa all'Oro che mangiavano farina d'avena.

Una settimana più tardi, la crescente somiglianza con Unabomber le spinse a rivedere la loro opinione su Jonah.

XIV. Demolizioni

Una mattina, attaccato con lo scotch dentro l'ascensore, c'era un avviso del Dipartimento Protezione Ambientale. Sembrava che qualcuno ci si fosse seduto sopra spiegazzandolo, l'avesse fotocopiato così e poi ci si fosse seduto sopra di nuovo tanto per essere sicuro, ma questa volta con un cavallo.

Per lavori di manutenzione alla rete idrica della zona, al fine di assicurare una felice erogazione d'acqua, quella settimana il comune avrebbe effettuato una serie di demolizioni sotterranee regolarmente programmate, non più di due volte al giorno. Benché le esplosioni non avrebbero messo a repentaglio la salute degli edifici, la nota li informava che i livelli di rumore sarebbero potuti risultare spiacevolmente alti per alcune persone: si raccomandava l'uso di tappi auricolari come misura precauzionale.

Ogni demolizione sarebbe stata preceduta da un avvertimento acustico:

Un fischio = La demolizione comincerà tra dieci minuti.
Due fischi = La demolizione comincerà tra cinque minuti.
Tre fischi = La demolizione comincerà tra un minuto o meno.

Quell'avviso inquietante diede subito origine a una serie di scenette. Qualcuno fischiava tre volte e tutti ridevano. Laars disse a Crease che quella mattina aveva incontrato la DODAI e anche lei aveva fatto il giochetto del fischio.
Che donna divina!, disse Crease. *Ammettilo.*
Laars concordò e disse che aveva un fischio da paura. In più, chiamava l'ascensore *lift*. Crease fu travolto ancora una volta dal fascino di quell'inglesismo e simulò una palpitazione al cuore senza alcuna ironia.
Crease domandò a Laars se secondo lui la DODAI era un Ernie o un Bert, e lui rispose: *Un po' tutti e due.*
Sono così geloso che ti potrei ammazzare, disse Crease allegramente.

Anche senza nuovi licenziamenti, la settimana ebbe le sue tensioni sotterranee. Tutti attendevano le esplosioni, o almeno i fischi di avvertimento. Le demolizioni erano correlate al palazzo a forma d'infinito? Non si capiva bene dove fosse il sistema d'allarme. Jonah pensava che al momento debito sarebbe passato un furgone per il quartiere.
Regolarmente programmate faceva pensare che fosse già successo prima, ma nessuno ricordava altre demolizioni.

Crease mostrò a tutti i tappi per le orecchie, che aveva preso per attutire il rumore del cantiere e per attuare un più generale programma di autoisolamento. Erano di gommapiuma gialla e sembravano minuscoli panettoni per una casa di bambola. Quando se li ficcava nelle orecchie, ricordavano i bulloni sul collo di Frankenstein. Accennò un passo vacillante da mostro, con le braccia tese, e rimpianse che la DODAI non potesse essere testimone di quel suo vivace senso dell'umorismo.

Crease fantasticava di un'esplosione così forte da far crollare alcuni piani. Nessun ferito, grazie al cielo, ma mentre gli altri se la davano a gambe, lui e la DODAI si ritrovavano isolati dal mondo. I computer erano guasti, la posta elettronica era morta, i cellulari non prendevano. L'azienda era in rovina, e non si sarebbe ripresa mai più.

C'era solo una fontanella che funzionava. Prendevano qualche snack dal distributore automatico e lei confessava di averlo notato fin dalla prima volta che avevano preso l'ascensore insieme.

In un'altra variante della storia, la DODAI aveva perso l'udito per lo scoppio ed erano costretti a comunicare usando una mimica improvvisata, oppure scrivendo frasi sul muro con le biro carbonizzate. L'udito di Crease naturalmente era rimasto integro grazie ai tappi.

Lizzie disse che forse erano quel tipo di fischi che riuscivano a sentire soltanto i cani. In realtà risuonavano continuamente e nessuno se ne accorgeva, e ogni giorno accadevano cose incredibili proprio sotto i loro piedi.

XV. Il destino di K.

Non la tollero, disse Laars, la mattina dell'ultimo giorno di non-demolizioni. *È arrivata anche a voi?* Era una mail destinata a tutta l'azienda, inviata alle 9:11. Qualcuno cominciava a sospettare che un virus stesse modificando le mail in modo che indicassero sempre quell'ora infausta.

Io non la apro, disse Lizzie. *Porta sfiga.*

Come se fino a quel momento tutto il resto avesse portato bene.

L'e-mail veniva da K.

Dopo quindici anni fantastici, scriveva, era giunto il momento di passare ad altro. A quanto pare, i californiani non l'avevano affatto inglobata, malgrado tutti i suoi sforzi. Anzi, l'avevano sbattuta fuori dall'azienda, un fatto che nella sua versione era diventato *un'opportunità per dedicarsi ad altri progetti*. A Lizzie vennero in mente diorami dentro scatole di scarpe, pittura con le dita, costruzione di *piñatas*.

K. inseriva la frase trita e ritrita su quanto fosse orgogliosa del suo staff, e menzionava Testa di cavolo come manager preparato e suo temporaneo successore.

Quel *temporaneo* avrebbe fatto venire un'ulcera a Testa di cavolo. Anzi, avrebbe fatto venire un'ulcera all'ulcera che aveva già.

Poi c'era un paragrafetto in cui il tono cambiava,

un'affascinante autobiografia in tre frasi. K. aveva iniziato, quindici anni prima, nella segreteria al sesto piano – un posto che adesso non esisteva più, notava con sarcasmo – e si era fatta strada un gradino alla volta, ricoprendo incarichi in quasi ogni reparto e supervisionando per un breve periodo la riuscita ristrutturazione della filiale di Boston.

Ma non era fallita, la filiale di Boston?, chiese Crease.

Inoltre aveva partecipato ai seminari di formazione aziendale degli ultimi cinque anni, compreso quello estivo che si teneva in California. Non faceva accenni a progetti futuri, al di là di un generico *passare più tempo con il mio compagno*.

Concludeva dicendo che nel corso degli anni aveva appreso tantissimo da decine di persone generose. Peccato che la maggior parte di loro non fosse più in azienda e i nomi non dicessero niente a nessuno.

Firmato: K.R. Ash.

Mentre scorrevano la mail fino alla fine, ognuno chiuso nel proprio cubicolo, Lizzie, Pru e Crease sentivano Laars che mormorava: *Oh. Mio. Dio.*

In un baleno Laars scoprì la provenienza di quell'antiquata e bisbetica spillatrice, la bestia bendata che ancora troneggiava sulla sua scrivania e ogni tanto, ma solo armandosi di pazienza, si poteva convincere a spillare due fogli. Si tramandava di generazione in generazione all'interno dell'azienda, migrando nel corso degli anni da piano a piano, da scrivania a scrivania, come certe leggende. Non poteva essere una coincidenza che quell'ordigno fosse arrivato a *lui*.

Questo significa che c'è speranza, disse Laars,

estraendo il paradenti e asciugandosi un filo di bava. *Potrei essere la nuova K.*

Jonah, uscito dalla sua spelonca per una rara apparizione, si lisciava la barba senza dire niente. Sembrava che stesse esprimendo un giudizio, ma senza proferire parola.

Niente poteva scalfire l'ottimismo di Laars. *È destino. Che altro può significare?*

Pru si fece megafono con le mani e lanciò l'allarme: *Ernie in vista.*

Alle cinque meno un quarto Gramo inviò un'e-mail collettiva: *Sprtiyibo?* Sembrava il nome di qualche oscura divinità africana. Nessuno sapeva cosa rispondere. Lizzie la inoltrò a Pru, aggiungendo: *Ho paura.*

Qualche ora dopo Gramo incontrò Crease in corridoio e gli domandò perché nessuno voleva prendere un aperitivo per festeggiare, o per lo meno commentare, la notizia di K. Crease scoprì che Gramo voleva scrivere *Aperitivo?*, ma la mano sinistra era allineata male sulla tastiera.

Dove va il tempo?, domando Lizzie, col solito pathos. *Dove va la vita?*

Nessuno aveva la risposta.

È già ottobre, incredibile, disse, temperando una matita per Testa di cavolo.

Pru si trattenne finché fu umanamente possibile. *Guarda che è novembre.*

Scusa?, disse Lizzie. Mancava una settimana a dicembre.

Lizzie si lagnava con Jonah, con Big Sal, con chiunque se la cagava, per gli errori di ortografia di Gramo. Era convinta che facesse parte dell'alone di mistero che circondava Gramo, ma d'altra parte per una vita così grama era evidente che anche il linguaggio non potesse scorrere con la fluidità delle altre specie.

Insomma, è patologico! Scrive cordialmente *con due* g.

Ma non ci sono g *in cordialmente*, fece notare Big Sal.

Appunto.

Altra cosa buffa: scambiava sempre *consulente* e *insolente*.

Big Sal disse che avrebbe visto cosa si poteva fare, e una settimana dopo installò Glottis 3.0 sul computer di Gramo. Era una versione del software più avanzata, rispetto a quella che aveva usato Jules per scrivere la sua sceneggiatura prima di essere licenziato.

Big Sal sostituì il computer di Gramo con quello che aveva prima Jules. Così era più facile eseguire l'aggiornamento.

Basta cliccare qui, disse Big Sal. Uno dei vantaggi del 3.0: era stato progettato per distinguere l'accento inglese da quello australiano e indiano.

XVI. Il tesserino elettronico

Laars osservò che fino a quel momento l'inverno non era stato rigido come quello dell'anno precedente. Ci misero qualche istante prima di capire che stava parlando della temperatura.

Erano tutti d'accordo, ma si basavano su vaghi ricordi collettivi e un certo livello di tacito conformismo. Quante persone ricordavano davvero com'era stato lo scorso inverno? L'inverno era inverno. Certi giorni erano più freddi di altri. A volte spuntava il sole. A volte pioveva per tutta la settimana. Ogni inverno c'era almeno una nevicata che mandava il traffico in tilt, seguita da uno squallido periodo di fanghiglia mista a neve, infiniti pomeriggi passati a commentare: *Tira un vento incredibile.*

Dentro l'ufficio non faceva troppa differenza, se non che la scrivania di Lizzie e le due di Crease erano vicine agli spifferi. L'aria gelida entrava a fiotti dall'alto, misteriosamente. Continuavano a cercare Ray per la manutenzione, ma scoprirono che Testa di cavolo l'aveva sbattuto fuori in estate. Le labbra di Lizzie erano livide. Portava due maglioni e a volte si metteva il cappotto sulle spalle. Testa di cavolo le disse che ci avrebbe pensato lui.

Se lo immaginarono in cantina, a rimboccarsi le maniche per alimentare la caldaia, con una schiera di badili appoggiati su un banco di lavoro improvvisato. Ma l'unica cosa che fece fu consigliare a Lizzie di comprarsi una stufetta e metterla in conto spese.

A quel punto tutti coloro che non possedevano una stufetta ne volevano una. Persino gente che soffriva il caldo, voleva la stufetta.

L'inverno cominciò a farsi sentire davvero qualche giorno dopo, con la neve *fino a qui*, e un vento micidiale. Laars buttò lì: *Sembra l'inverno di due anni fa.*

Un inverno, due inverni, due anni. *Dove va il tempo? Dove va la* vita?

Laars disse a Crease: *Ho un cerchio alla testa spaventoso e dire che oggi neanche portavo il cappello.*

Giovedì alcuni di loro si riunirono allo Starbucks Figo e sparlarono di Jules. Nessuno lo vedeva da un po', ma Pru aveva saputo dal Primo Jack (a quanto pare lo incontrava con notevole frequenza) che aveva chiuso il ristorante del tostapane e aperto un club in stile baita alpina anni Settanta. Il nome le sfuggiva. Sciolina? Funivia? Skilift?

Laars era curioso di sapere se Jules aveva poi finito la sua sceneggiatura, *Maledetti colletti*.

Chiedi a Jonah, disse. Ma Jonah chissà dov'era, rintanato a studiare come al solito, sempre più intelligente e irsuto.

Crease era entusiasta di *Maledetti colletti*, il film, e sperava che ci fosse qualche scena ambientata in ufficio. Fantasticava che parlasse di lui: l'amore non corrisposto della lolita greca poteva essere un'ottima sottotrama. Pensava che Jules potesse avere più possibilità con i produttori se avesse cambiato il titolo in *Occupazione Parallela*.

Già m'immagino la locandina, disse.

Lizzie spiegò a Gramo che Jules aveva scritto il grosso della sceneggiatura grazie a una versione precedente di Glottis.

Glottis è stramaledettamente geniale, disse Gramo. *Magico.*

In effetti, la sua ortografia era migliorata. Avevano ancora paura delle sue mail, visto che Glottis tendeva a mettere tutto in maiuscolo senza preavviso, e co-

SÌ SEMBRAVA SEMPRE CHE STESSE GRIDANDO A SQUAR-CIAGOLA. Ma ne valeva la pena. La cuffia di Gramo aveva un microfonino che trasmetteva la voce fino a cinquanta metri: un'esagerazione, ma così poteva andarsene a spasso per l'ufficio. Lo aiutava a rinfrescare le idee. Pru l'aveva visto smascellarsi con aria soddisfatta, parlottando da solo davanti alla finestra, e gli aveva chiesto a che progetto stesse lavorando. *Oh, niente, sto scrivendo le mie memorie*, aveva detto scherzando.

La mattina dopo deposero gli zaini e le valigette, si sedettero alle scrivanie, passarono in rassegna i nuovi messaggi di posta elettronica, contemplarono il proprio caffè. L'Innominabile stava facendo il solito giro con passo strascicato, lasciando una busta con l'intestazione dell'ufficio nella vaschetta della posta di tutti. La missiva era un gentile omaggio da parte di Henry dell'Ufficio Personale e, ancora prima di iniziare a leggere, capirono che qualcosa di terribile stava per accadere.

Più o meno nello stesso identico momento, a ogni scrivania del quarto piano, un pezzo di plastica nera, più o meno simile a una carta di credito quanto a forma e dimensione, scivolò fuori dalla busta e cadde giù di botto.

Non aveva nome né numero, nessun tipo di segno. Il suo potere era invisibile.

La sibillina lettera di Henry diceva che, a partire dal giorno seguente, sarebbe stato obbligatorio passare il tesserino elettronico nel lettore ogni volta che iniziavano o finivano di lavorare. Ogni piano era dotato di una macchinetta digitale che avrebbe segnato l'orario di ingresso e di uscita.

Non si vede nemmeno la banda magnetica, osservò Crease, studiando il tesserino sotto la luce.

La banda o la striscia?, chiese Lizzie.

A destra dell'ascensore era stata appesa una scatola nera, una macchinetta metallica scialba e austera come i nuovi tesserini. Una fessura alquanto grossolana tagliava in verticale il centro della scatola: era lo spazio in cui i tesserini sarebbero passati due o più volte al giorno: dieci centimetri che sembravano allungarsi per tutta la lunghezza della parete. Jonah si avvicinò alla macchinetta con un timore reverenziale e dopo un momento di esitazione le diede un colpetto con le nocche. Cercarono di captare qualche forma di vita: ingranaggi che scattavano, un orologio nascosto che ticchettava.

Niente.

Poi il gruppo si diresse verso l'ufficio di Testa di cavolo. Modello: *Quarto Stato*.

Ma Testa di cavolo si limitò a fare spallucce. *Dovete ringraziare il vostro amico Graham, per questo*, disse, e tornò a rivolgere ostentatamente l'attenzione allo schermo.

Graham? *Gramo?*

Testa di cavolo batté una riga facendo un ticchettio esagerato, fermamente deciso a ignorarli. Poi prese il telefono e lasciò un messaggio a Lizzie – che era lì accanto insieme a tutti gli altri – chiedendole di cercare alcuni numeri e indirizzi e-mail. *Quando hai un momento*, disse.

Testa di cavolo si voltò verso la finestra e continuò a parlare con Lizzie finché i visitatori non se ne andarono.

Dopo aver cercato l'informazione, Lizzie rientrò nell'ufficio, dove trovò Testa di cavolo che contemplava il suo tesserino.

Non capisco dov'è la banda magnetica, tu la vedi?

Gramo, guarda caso, non era in ufficio. Quella mattina aveva telefonato a Testa di cavolo: tornava in Inghilterra per un po'.

Quel giorno finirono tutti per fermarsi più del solito, intimiditi dal nuovo tesserino, da quel nuovo regime senza cuore. I californiani contavano i minuti, i secondi, i respiri. Pru si avventò contro Lizzie, brandendo il tesserino. *Era questa la cosa che non ci volevi dire: quella roba che ti aveva raccontato Gramo?*

Eh?

La cosa così orribile che non riuscivi a raccontarci?

Quella non c'entra niente, disse Lizzie. *Giuro che non lo sapevo.* Ma Pru non se la beveva. E neanche gli altri.

Scommetto che Gramo non è nemmeno in vacanza, sibilò Crease. *Scommetto che sta da qualche parte a complottare con i californiani.*

Pru pretese che Lizzie vuotasse il sacco.

Se volete ve lo dico, disse Lizzie. *Ma a vostro rischio e pericolo.*

Sputa il rospo, disse Laars.

È assurdo. Non so nemmeno perché me l'ha raccontato.

Insomma, spara.
Non riesco a raccontarlo neanche al mio analista.
Mi toccherebbe stare in analisi altri cinque anni. È proprio disgustoso e non mi va di pensarci.
Non fare la Bert, disse Pru.
Ma Lizzie aveva bisogno di farsi almeno tre cocktail anche solo per *iniziare* il racconto.

Il jukebox era assordante. Cercarono di incoraggiare Lizzie, con un'indianata escogitata al momento: ti dovevi scolare un bicchiere ogni volta che usavi una parola con la *g* dentro. Era difficile restare sobri, e più eri sbronzo, più era complicato scegliere le parole.
Laars, che tentava di bere con il paradenti in bocca, non disse niente. Pru, idem. Crease e Lizzie erano ubriachi fradici. Poco dopo Crease tirò fuori il suo tesserino nuovo di pacca e cominciò a farlo ballare sul tavolo al ritmo di un vecchio pezzo dei Van Halen.
Mi sento sporca solo a pensarci, disse Lizzie. *Mi odierete.*
Tanto ti odiamo già.
Non avevo dubbi.
Rimasero tutti in silenzio finché non iniziò.

Allora, ecco cos'ha detto Gramo quella sera. Gramo, che porco! E poi: quello dovrebbe chiamarsi Menagramo, stando al karma! Vabbè... Dunque, stavamo parlando di vacanze, io e il caro Gramo, gli avevo appena spiegato il concetto alla base dei giorni di permesso, o almeno la mia definizione dei giorni di permesso, il fatto che non sono giorni di ferie... In teoria devi passarli a casa, *a fare cose* personali, *per esempio leggere un*

libro o guardare un vecchio film, o che ne so, magari al-
meno fare sesso impersonale con qualcuno rimorchiato
su Internet, e comunque ho buttato lì che volevo farmi
una bella vacanza prima o poi, magari l'anno prossimo,
in India... In effetti lo dico ogni volta che non ho nien-
te da dire. Non che non sia vero. Forse era solo un mo-
do goffo per capire che idea aveva lui delle vacanze, o
meglio, se era single o aveva una tipa o che altro. Gli
ho chiesto se era mai stato in India. Lui ha detto di sì,
anzi, aveva vissuto *lì per un anno, lavorava alle strate-*
gie della Kholera. Non avevo idea di cosa fosse la Kho-
lera, e nemmeno cosa fossero le strategie, così ho ri-
sposto di sì e basta. Poi ho fatto una ricerca su Google:
è una casa farmaceutica che a quanto pare adesso è fal-
lita. Gramo mi stava raccontando di tutti i posti dov'e-
ra stato. Faceva un po' il piacione. Ma non era tanto vi-
scido. Non diceva cose particolarmente spinte, ma c'e-
ra qualcosa che mi eccitava e mi innervosiva al tempo
stesso. La verità è che non mi dispiaceva affatto.

Risparmiaci i particolari intimi, disse Pru.

Pru, se ti imbarazzi per questo, *forse è meglio se la*
piantiamo qui. Cioè, parliamo d'altro allora. Parliamo
dei mutamenti climatici o della speculazione edilizia
sulla costa o magari della scopa che hai su per il culo.
Perché la faccio tanto lunga? Perché i particolari inti-
mi sono la premessa *di tutto l'aneddoto. È lo scambio*
di particolari intimi più intimo che c'è!

Scusa.

Comunque ho chiesto a Gramo se gli piaceva e lui
ha detto che non era riuscito a visitare granché, il lavo-
ro non gli dava tregua, ma una volta ha fatto una gita
a un tempio da qualche parte, non so dove, non so

nemmeno se 'sto tempio è famoso. Ah sì, aspettate, è famoso per qualcosa, roba di architettura mongol o mogul. Era a poche ore dalla città, e aveva preso un rottame di autobus. La sera prima aveva mangiato male... Aveva provato a cucinarsi qualcosa ed era venuta fuori una roba strana. Insomma, all'improvviso comincia a sentire un gorgoglio alla pancia, intrappolato su quell'autobus sgangherato. Mancava ancora quasi un'ora di viaggio. Stava sudando. Ha detto che in India si suda sempre ma questa era una sudata di categoria superiore. Di cattivo odore? Boh, una roba del genere. Non si capisce una mazza quando parla.

Comunque riesce ad addormentarsi. Quando scende dall'autobus, sbaglia fermata. Era sceso troppo presto o troppo tardi. Nessun villaggio in vista. Passano macchine, qualche camion. Dall'altra parte della strada c'è un cartello. Capisce usando la cartina sbagliata della sua guida turistica che manca ancora più di un chilometro. Più di un chilometro! Sta malissimo e all'improvviso ha la sensazione che morirà... la certezza *che morirà. Si mette a piangere. Chi troverà il suo corpo? S'immagina già gli avvoltoi che gli spolpano le ossa. Pensa: che tristezza, che tristezza, sparire così. Quelli della Kholera se ne fregano, proveranno a cercarlo per qualche giorno, poi lasceranno perdere. Nessuno è al corrente di quella gita. Così si accascia tutto sudato sul ciglio della strada e spontaneamente rivolge al cielo una preghiera, una cosa a metà tra la nenia e la supplica. Non sa neanche se sta pregando il Dio cristiano o un altro, magari una divinità indù che volteggia per caso da quelle parti. Non importa. Dice solo: se mi fai sopravvivere, ti sarò per sempre grato. Mostrami un se-*

*gno e ti adorerò a modo mio. Ormai lo grida a squar-
ciagola, con le lacrime agli occhi, le parole che gli arrivano da chissà dove: ti adorerò a modo mio.*

*E all'improvviso ha un'illuminazione. Ha lo stoma-
co completamente sottosopra e capisce che deve solo
trovare un cesso al più presto.*

*Ma intorno non c'è niente. Schizza verso quella che
immagina sia la direzione del tempio, ma non ce la può
fare. Comincia a vederci doppio, le gambe gli tremano.
Poi non ce la fa più e allora... insomma... avete capito.* Crolla e se la fa addosso.

A quel punto urlarono tutti.

E questo non è niente, disse Lizzie. *Certo, è una
cloaca ambulante, ma si sente cento volte meglio. Non
è più a un passo dalla morte. Continua a camminare fino al tempio, dove spera di riuscire a darsi una pulita.
Si sente a disagio, è tutto inzaccherato, ma almeno è vivo. E così adesso ogni anno deve mantenere la promessa di rifarla, dovunque si trovi, in segno di devozione e
di ringraziamento.*

Rifare che?, chiese Pru.

Nessuno ebbe il coraggio di rispondere.

Rifarsela addosso?, chiese Pru.

Lizzie annuì, e tutti urlarono di nuovo.

Questa mi mancava, disse Crease.

*Gramo dice che l'ha fatta nei posti più assurdi, da al-
lora. Arriva il momento e lui* sa. *L'ha fatta a Berlino, a
Tokyo, a Wichita Falls e a Syracuse. Una delle condizioni è che non può decidere di trovarsi in un posto da solo.
Può essere a casa, oppure in pubblico. Dev'essere una fol-*

gorazione sulla via di Damasco. Da allora tutto va a gonfie vele, dice, la sua carriera è decollata. Secondo lui questo rituale lo tiene ancorato alla realtà, lo collega al ciclo del consumo e dello scarto, della materia e del decadimento. Ernie e Bert, yin e yang. Insomma, da una parte ero in paranoia ma dall'altra no, cioè non so. Finché, vabbè, fatemi scolare questo drink. Finché non ha detto: Tu sei una ragazza con i piedi per terra, si vede... l'ho capito subito. Ha detto: Probabilmente capisci quanta strada potremmo fare insieme. E io ho risposto: Insieme? Perché mi stava venendo una strana sensazione, magari sono pazza, ma insomma mi è venuta un'idea assurda.

Che volesse farlo con me. E non intendo dire andare a letto con lui.
Urlarono tutti.

Pru andò al bancone e ordinò un altro giro per tutti. Gramo! *Pazzo!* Sì! *Certo!* Non sapevano se questo lo rendesse più Ernie o più Bert. Il paradigma Ernie-Bert era saltato. Da bere! Da bere! Lizzie sembrava sollevata e insieme mortificata, per aver finalmente raccontato la storia di Gramo.
Mi sa di leggenda metropolitana, disse Crease. *Il co-profilo aziendale, o come cavolo si chiamano. Insomma, quelli che... cacca canta.*
Tutto torna, in ogni caso, disse Pru. *Se ci pensi, Gramo è uno sciroccato. L'avevamo capito fin dall'inizio. Questo comportamento potrebbe essere la punta dell'iceberg. Cioè, sono sconvolta ma non sorpresa. D'altra parte, può darsi che stesse dando un'imbeccata a Lizzie per... vabbè. Non c'è da fidarsi.*

Però non è mai stato un bugiardo, disse Crease. *No? Però ci ha tenuti all'oscuro su quello che fa davvero per l'azienda, o all'azienda*, disse Laars. L'alcol li faceva parlare a ruota libera, dimenticando il punto essenziale. *E adesso, a partire da domani e grazie a lui, dobbiamo timbrare il cartellino come un branco di operai alla catena di montaggio.*

Anche mio padre ha timbrato il cartellino tutti i giorni, per trent'anni, disse Lizzie indispettita.

OK, scusa. Comunque resta una rottura.

Ma come fai a rivolgergli ancora la parola?, disse Crease a Lizzie.

Da oggi basta, disse. *Hai ragione. Il tesserino è l'ultima goccia.*

Ogni goccia è l'ultima goccia, disse Pru.

XVII. Chi ha spostato il mio mouse?

Il giorno dopo strisciarono il tesserino, ancora rintronati dall'alcol e dal sonno inquieto per le apparizioni coprofile di Gramo. Non erano sicuri di averlo fatto nel modo giusto. La scatola nera vicino all'ascensore non aveva fatto né un bip né un clic, né aveva dato segno che il badge fosse passato correttamente. Niente attrito. Era come muovere una mano nell'aria.

Nessuno riuscì a capire se andava inserito dall'alto in basso o dal basso in alto. Qualcuno lo strisciò di nuovo, segnando involontariamente l'*uscita*, forse lasciando intendere che aveva fatto un turno di quaranta secondi.

Laars entrò in ritardo perché era dovuto correre dal dentista. Emergenza bruxismo. Aveva lasciato il paradenti al bar la sera prima, e a quanto pare gliel'avevano buttato. Probabilmente l'avevano scambiato per un ferro di cavallo o una gomma da masticare rappresa.

Cazzo, stavolta mi licenziano in tronco, disse strisciando il tesserino, una, due, tre volte.

Ad attenderli nella cartella della posta in arrivo c'era un messaggio del Reparto Informatico, inviato alle 9:11:

Cari colleghi,
Salve...
Oggi opererò qualche cambiamento ai vostri sistemi. Mi collegherò in remoto ai vostri computer, perciò non vi spaventate se/quando il mouse inizia a muoversi da solo e cominciano ad aprirsi le finestre! Devo accertare che tutto funzioni bene e individuare le aree problematiche. Se tutto va bene, tra qualche mese non avremo più tanti crash ecc.
Farò di tutto per essere più discreta possibile e non interrompere il flusso di lavoro! I cambiamenti richiederanno un paio di minuti al massimo, in genere, anche se in qualche caso potrebbe servirmi un po' di tempo in più (sto cercando anche di estirpare l'ultimo virus).
Se ci sono domande, vi prego di farmelo sapere subito...
Ciao a tutti/tutte
Wynn, IT

Che fine ha fatto Big Sal?, domandò Laars. Trovava irritante quel saluto informale, tipicamente da nerd. Il Bert che c'era in lui cominciò a scalpitare.

Laars immaginava che ci fossero i margini per stringere amicizia con Big Sal, e invece... A che pro entrare in confidenza? Quelli del reparto informatico andavano e venivano, quasi come il collegamento alla rete.

Lizzie disse che aveva ricevuto un'e-mail da Jill: le scriveva da un Internet point di Sebastopoli. Era lì da tre mesi con Ben. Nessuno sapeva chi fosse 'sto Ben, e per essere sinceri, nemmeno dove fosse Sebastopoli. O almeno *credeva* che il messaggio fosse di Jill. L'indirizzo e-mail era criptico e il messaggio era firmato *J.* Forse era di Jenny, o di Jason se è per quello. Ma il tono sembrava più da Jill.

Pru disse che era il ritorno del rimosso, ma lo diceva per qualsiasi cosa.

Nella sua risposta accurata, Lizzie le raccontò che avevano rinvenuto *La Jilliad*, facendole i complimenti di tutti per quel capolavoro sconosciuto. Ma il messaggio tornò indietro.

Lizzie aprì di nuovo l'e-mail originale e notò che il suo nome in realtà era scritto in modo sbagliato, *Lizzy*, e che c'era un allegato: una bizzarra richiesta di denaro che chiamava in causa uno zio scialacquone e un ospedale del Burkina Faso. Non riuscì a finire di leggere perché il computer si impallò.

Gramo lasciò un messaggio per Testa di cavolo nella casella vocale di Lizzie. *Sono all'aeroporto*, diceva Gramo, parlando in fretta tra gli echi gracchianti degli annunci di volo. Prolungava la vacanza.

La trascrizione della *Jilliad* era quasi terminata. Pru praticamente si era occupata dell'ultimo terzo.

221

Adesso stava tentando di rintracciare i libri da cui erano estratte le citazioni. Ma le ricerche su Google e Amazon non restituirono nessuno dei titoli o degli autori citati. Lizzie chiese a un'amica bibliotecaria di provare a cercare i testi in questione in elenchi più specialistici, ma senza successo.

Crease stava lavorando su Excel quando all'improvviso perse il controllo del cursore. Capovolse il mouse alla ricerca di una soluzione e la luce rossa gli fulminò l'occhio. Chissà, forse avrebbe sviluppato superpoteri come Henry dell'Ufficio Personale, o almeno venti ventesimi di vista.

Il cursore sfrecciò all'impazzata di qua e di là, come se fosse legato a una mosca. Poi fluttuò lentamente verso l'angolo superiore sinistro, virò a destra e mulinò al centro dello schermo componendo una languida figura a otto.

Quando Crease tentò di ritornare al foglio di calcolo, la freccia rimase immobile. Allora si ricordò della mail di Wynn.

Attese di vedere cosa avrebbe combinato. Dopo circa un minuto, la freccia salì di nuovo, cliccò sul browser e iniziò a scorrere la cronologia dei siti visitati. Ogni schermata durava appena un secondo: siti di informazione varia, un blog di cucina indiana, My-Space, Amazon. Poi la barra degli indirizzi si riempì di una serie di URL sconosciute. Wynn stava portando il browser in luoghi che Crease non aveva mai visto. La maggior parte erano siti di film horror. Alcuni erano siti porno. Uno era un sito di fan dei Dio, un gruppo heavy metal.

Finalmente tutto questo ebbe fine. Il mouse tornò a rispondere. Ritrovò il foglio di calcolo a cui stava lavorando. Posizionò il cursore e fece un doppio clic. Poi il computer si impallò.

Esaurita la ricerca, Pru doveva per forza arrivare a una conclusione alternativa: Jill aveva semplicemente inventato tutti i libri citati nella *Jilliad*. Non aveva alcuna intenzione di documentarsi sulle regole del gioco, per avvantaggiarsene in futuro. Né voleva criticare davvero il modo in cui erano scritti quei libri. Era tutta una colossale presa per il culo: pura invenzione. E il nuovo taglio di capelli non era altro che un nuovo taglio di capelli. *E pure brutto*, aggiunse Pru.

Immaginarono Jill in quegli ultimi giorni: annoiata a morte in Siberia, immersa nello squallore, consapevole che la sua carriera stava andando a rotoli. A un certo punto aveva mandato tutto a puttane. Nessuno la voleva. Nessuno voleva nemmeno *vederla*. Stava solo cercando di distrarsi prima che arrivasse il colpo di grazia.

Lizzie domandò cosa comportasse, questo, rispetto ai loro progetti per *La Jilliad*. Pru sospirò e disse che adesso il suo valore come opera di outsider art era praticamente nullo. Il suo motivo di fascino – *la sua natura raccogliticcia ed eterogenea*, come l'aveva definita una volta Pru – era completamente svanito. Si poteva pensarla come un'opera di fantasia, spiegò, ma nessuno l'avrebbe mai voluta leggere.

Lizzie non capiva perché questo dovesse fare qualche differenza. Laars invece era contento. *La Jilliad* non doveva essere letta da nessuno. *Tanto meglio, così adesso me la riprenderò*, disse.

Questa è l'altra cosa che vi volevo dire, disse Pru. *Non è più nella mia scrivania.*

Non ho capito.

Qualcuno l'ha rubata.

XVIII. *Riconoscimento vocale*

La voce si diramò da un cubicolo all'altro, come l'acqua versata in una vaschetta del ghiaccio, che si diffonde in ogni stampo.

Si diceva che i californiani volessero fare piazza pulita da cima a fondo e rottamare tutto.

Si diceva che avessero intenzione di farlo gradualmente, per puro piacere sadico, e che si divertissero a dire alle aziende che solo un terzo dei dipendenti sarebbe rimasto. Questo fomentava gesti clamorosi di autopromozione, feroci e divertenti tentativi di surclassare gli altri.

L'avevano già fatto, a Boston, Cleveland, Nashville.

Si diceva che Testa di cavolo avesse fatto un colloquio di lavoro addirittura a Eugene, nell'Oregon. Si diceva che Sheila fosse sul punto di scaricarlo.

Si diceva che K. fosse stata licenziata perché era lesbica.

Si diceva che anche una dei californiani fossa lesbica, ma quel genere di lesbica che odia le altre lesbiche.

Si diceva che l'azienda aveva perso troppa gente, quindi alla festicciola di Natale di quest'anno avrebbero invitato anche gli impiegati degli altri uffici (perfino lì c'era stata una riduzione del personale). Forse il palazzo era maledetto. C'erano tutti gli ingredienti per la festa di Natale più deprimente della storia: il posto scelto era un nuovo club del centro con arredo tipo baita.

La peggior idea di sempre, disse Pru.

Così avrebbero condiviso il locale della festa con un mucchio di sconosciuti. Soltanto Crease ne fu felice, perché in questo modo aumentavano sensibilmente le probabilità di riuscire a vedere la DODAI per un periodo di tempo più prolungato di una corsa in ascensore.

Il lunedì seguente, Crease non voleva parlare con nessuno. O meglio, non *poteva* parlare con nessuno. Aveva perso la voce durante il weekend. *Un brutto virus*, biascicò. Non sentiva dolore, solo che non riusciva a parlare con un registro normale. O il tono era stridulo, o era piatto e gutturale, privo di emozione. Entrambi assolutamente agghiaccianti.

Quasi ogni ora spediva aggiornamenti via mail sulle sue condizioni.

Magari avessi imparato il linguaggio dei gesti, scrisse. Si ricordava di un film in cui un tizio era diventato muto ed era costretto a scrivere le cose su una lavagna che portava appesa al collo.

Quando Pru lo incrociò in corridoio, lui tentò di parlarle, ma era fiato sprecato, un fiotto di vento che sgorgava dalla gola. Calò di tono di una sillaba, poi cambiò binario bruscamente. Finì con un acuto strozzato. Qualcuno provò a consolarlo con una pacca sulla spalla, ma c'era la paura del contagio.

Nel tardo pomeriggio di martedì la sua voce era leggermente migliorata, ma evitava ancora di parlare. Dispensava sorrisi e annuiva. Si stava trasformando nell'Innominabile. Mercoledì gli era tornata la voce. Parlò un po' troppo, per lo più della DODAI e di cosa le avrebbe detto qualora – *quando* – l'avrebbe vista la sera dopo. Tutti espressero un parere su quale fosse l'approccio migliore. Laars e Lizzie dissero che in caso gli avrebbero dato una mano. Crease sosteneva che sarebbe andato alla grande. Piuttosto: come vestirsi? Un berretto gli avrebbe dato un tocco sexy, ma gli altri fecero valere il loro potere di veto.

Gramo teneva un basso profilo, si aggirava attorno alla scrivania con la cuffia wireless di Glottis, borbottando. Quando Lizzie gli portò un fax, inarcò le sopracciglia con aria mefistofelica ma continuò a borbottare, con la sgradevole sensazione che stesse dettando brevi pensieri ostili nei confronti di Lizzie.

Idea di Pru: qualcuno poteva distrarlo, mentre un altro s'intrufolava nel suo computer e dava un'occhiata a quello che stava dicendo, ma non riuscì a trovare nessun volontario per la missione.

Laars sosteneva di avergli sentito dire: *E questo è quel che ho imparato dall'Operazione JASON.* Tentò di fermarsi a origliare, ma Gramo lo vide e si cucì la bocca.

XIX. *Brutta china*

La festa di Natale si tenne allo Schüssmeisters. Lizzie e Laars presero un taxi insieme direttamente dall'ufficio, alle sei di sera, con l'idea di farsi qualche drink e andare a casa presto. Nessuno era in vena di festeggiamenti, ma se c'era l'open bar non si sarebbero tirati indietro. Crease aveva bisogno di passare da casa per cambiarsi, perché trovava quel maglioncino troppo scialbo (qualcuno insinuò che fosse per andare a recuperare il berretto). Pru aveva prima appuntamento con qualcuno e disse che li avrebbe raggiunti più tardi. Tutti si domandarono chi fosse quel qualcuno e sospettarono che non si sarebbe fatta vedere. Nessuno aveva parlato con Jonah tutto il giorno ma quando Lizzie gli mandò un'e-mail lui rispose che sarebbe arrivato sul tardi. Doveva finire i compiti per la scuola.

Non voglio mandarti in paranoia, disse Lizzie a Laars in taxi, *ma forse il licenziamento di K. è una fregatura.*

Come poteva essere una fregatura? Lizzie a volte era troppo indulgente. Era affettuosa ma esasperante. *K. è quella che ha licenziato Jenny*, le ricordò Laars. *K. può benissimo marcire all'inferno.*

Ma non te ne rendi conto? Sono passati dalle J alle K. E le K sono finite. Poi tocca a noi.

Lizzie era la regina della dietrologia terrorizzante.

Quando Lizzie e Laars arrivarono, in tutto c'erano altre quattro persone che ciondolavano qua e là. Si guardarono intorno per vedere se c'era Jules. Questo doveva essere il suo nuovo locale, con il nome trisillabico e l'arredo da baita anni Settanta. Racchette da sci e corna di cervo decoravano le pareti, e su un tavolo in fondo faceva bella mostra di sé un servizio da fondue d'epoca. La musica era un po' loffia, però: un tetro pezzo hip-hop con metà delle parole censurate dal bip.

Ordinarono da bere al bancone, un profilato a forma di T, e si avvicinarono a quei quattro gatti al centro della sala, tanto per presentarsi. Uno di loro era il designer del locale, aveva in mano un paio di occhiali da sci e spiegava la filosofia dello Schüssmeisters. La commercialista dell'azienda di telemarketing e suo marito finsero interesse.

Il quarto era Gramo.

Era dall'avvento dei tesserini elettronici che Laars voleva fargli confessare la sua doppiezza. Ma quando lo vide non riuscì a trovare le parole. Quel che era fatto era fatto, e se Gramo cominciava a dettar legge, era meglio non provocarlo.

Laars si ricordò anche dell'esperienza mistica di Gramo e preferì tenersi alla larga.

Lizzie teneva gli occhi inchiodati a terra, come se avesse perso un orecchino. La sala cominciava a riempirsi e il volume si alzava ogni minuto di più. Chissà se avrebbero visto Jack II o Jill o Jenny, anche se ovviamente non erano stati invitati.

Laars accarezzò per cinque secondi l'assurda fantasia che Maxine sarebbe apparsa e lui l'avrebbe travolta con il suo fascino, o viceversa. *Laars, ho sempre pensato che eri un gran fico.* Avrebbe detto così? Non riusciva a ricordare bene la voce, non riusciva più a sentirla nella testa. *Laars, sono proprio contenta di vederti.* Un gridolino di piacere. No. Sì.

Aveva messo fine al suo voto di castità già da un po', ovviamente, anche se in termini pratici non significava granché. Andò al bagno degli uomini per esercitarsi a sorridere. Tirò fuori il paradenti. *Oh Laars, ti adoro quando sorridi.* Alla toilette c'era un inserviente, e Laars sapeva che si sarebbe sentito in obbligo di lasciargli almeno un dollaro di mancia, anche se si era soltanto guardato allo specchio. Così si lavò le mani con una gran quantità di sapone e accettò non uno ma due asciugamani dall'inserviente. Sgrullò il paradenti e lo posò accanto al lavandino. Incredibilmente, non aveva banconote da un dollaro nel portafogli: solo una da venti. Si scusò per la mancanza di spicci e si allontanò senza lasciare la mancia. L'inserviente non commentò: per lui, Laars era pura antimateria.

Laars si domandò se non rischiava di finire come quello, adesso che il plotone d'esecuzione aveva finito le *J* e le *K*. Visto il suo karma avrebbe fatto meglio a lasciargli venti dollari, ma aveva pensato che potevano servirgli più tardi per il taxi.

Crease e Jonah arrivarono in contemporanea. Quando Crease lasciò il cappotto all'entrata, svelò il suo pirotecnico cambio di guardaroba: una rielaborazione contemporanea di un maglione da sci vecchio stile, in rosso e verde, con tanto di enorme fiocco di neve bianco cucito in mezzo al petto. L'equivalente sartoriale di un manicaretto cucinato in casa: il perfetto complemento all'estetica dello Schüssmeisters.

Se non che anche *Jonah* indossava la stessa cosa, versione vintage. Ultimamente comprava roba nei negozi dell'usato, camicie da lavoro a scacchi, giubbottini da universitario. Aveva una barba da santone.

Crease meditò di fare un salto a casa in taxi per cambiarsi, ma poi decise di tener duro. C'era spazio a sufficienza per due maglioni con i fiocchi di neve in stile anni Settanta. Ma adesso si sentiva vagamente a disagio e la gola cominciava a dargli fastidio.

La ragazza al guardaroba ritirò la giacca con la fodera a scacchi e lui riuscì a stento a boccheggiare un grazie.

Laars disse che stava vivendo un déjà vu. Non riusciva a identificarne la natura. Forse ogni festa di Natale ricordava le feste di Natale del passato. Anche Lizzie sperimentava una specie di déjà vu, ma di qualità diversa: piuttosto una sorta di esperienza extracorporea in cui si vedeva parlare, annuire e bere. Le sembrava irreale, un sogno, o forse una pièce teatrale che doveva recensire. Aveva problemi con i dialoghi e le luci, ma alcuni costumi non erano male. Invece delle penne tradizionali, quella sera una bacchetta laccata di scuro le impalava i capelli.

Gramo era già sbronzo? Aveva problemi di volume e problemi di farfugliamento. In effetti non l'avevano mai visto ubriaco. Stava raccontando a Lizzie, Laars e altri due babbioni dell'ottavo piano che a volte gli veniva il ticchio di dire cose completamente fuori luogo: gli uscivano di bocca senza una ragione. A volte, diceva Gramo, si chiedeva che effetto avrebbe suscitato andare in giro tutto nudo per l'ufficio, oppure parlare soltanto in spagnolo, o travestirsi da donna.

Normalmente avrebbero già troncato la conversazione, ma Laars e Lizzie contavano di sgusciare via con una scusa. Gli sconosciuti dell'ottavo piano a un certo punto avevano cercato scampo nella fuga e si erano dileguati. Adesso non si trovavano più da nessuna parte.

Tutti avevano paura di Gramo.

Entrarono altre persone nello Schüssmeisters, al ritmo indolente del reggae. Testa di cavolo si tolse il cappello e si mise in fila al bar. Intravidero Pru che si levava il cappotto e lo porgeva al suo accompagnatore, che a sua volta si tolse il cappello di feltro e andò a depositare il tutto. Era calvo, e aveva un paio di bretelle rosso fuoco. Aveva un'aria amichevole e ributtante, come un bebè gigante. Ma a loro sembrava di averlo già visto da qualche parte. Laars li studiò mentre andavano a prendere da bere, e all'improvviso gli balzò agli occhi: *Pru è venuta con il Primo Jack!*

Crease rimuginava al bancone, maledicendo in silenzio Jonah e il maglione copiato. Il Primo Jack lo abbracciò calorosamente e si misero a chiacchierare. Di tanto in tanto il Primo Jack guardava il soffitto e rideva. Laars prendeva nota di tutto. Crease poteva anche essere divertente, ma non era *così* divertente. Neanche Pru rideva. Era molto bella: questione di luci, forse, ma comunque bella.

Ciao vecchio!, disse il Primo Jack appena vide Laars (evidentemente s'era dimenticato come si chiamava).

Laars si beccò una pacca sulla spalla a cui fece seguito un caloroso abbraccio. Poi il Primo Jack abbracciò ancor più calorosamente Lizzie. Lizzie non era mai stata una fan del Primo Jack e non ricambiò l'abbraccio, restando del tutto indifferente.

In quell'abbraccio mortale, il nerboruto avambraccio destro del Primo Jack si allungò un po' troppo oltre Lizzie e l'anello con lo stemma del college colpì Laars dritto in bocca. Si sentì uno schiocco tremendo, come una tazza buttata nel lavandino.

Il Primo Jack era mortificato, ma Laars disse che non c'era problema. Purtroppo, non riuscì a formulare la frase, dato che gli si era frantumato un dente.

Oh, disse Pru. *Oh oh. Oh no.* Gli passò un tovagliolino di carta e andò a recuperarne altri cento. Mentre il labbro superiore si gonfiava come un pallone, il sangue cominciò a colare giù dal mento. Andò alla toilette per controllare i danni, sentendo un frammento di dente ancora in bocca. Lo tenne fermo da un lato con la lingua. I dentisti li ricostruivano i denti o te ne mettevano solo di nuovi? Il sangue picchiettò contro il lavandino. L'inserviente non aveva alcuna fretta di aiutare. Se la prese comoda, mugugnando alla prospettiva di dover ripulire tutto quel casino senza vedere l'ombra di una mancia.

È stato bello rivedere quel ragazzo, ma mi sento una merda per il dente, disse il Primo Jack. *Sapete chi sarebbe bello vedere? Maxine. La Maximizzatrice. Che combina?*

È stata licenziata, disse Lizzie.

Ma dai.

Nello stesso periodo di Jenny.
Che sfiga.
E di Jack, l'altro Jack, specificò Pru.

Dilemma della serata: ora che Jack II non lavorava più con loro, il Primo Jack poteva tornare a essere semplicemente il vecchio Jack?

Crease andò nel bagno degli uomini per esaminarsi la gola, senza sapere bene cosa sperava o temeva di vedere. Era talmente preso da quel disturbo ricorrente che nemmeno vide Laars telare, con una mano sulla bocca, la sua persistente castità in nessun pericolo immediato.

Crease chiese un colluttorio all'inserviente, con voce roca, e questi tirò fuori un flacone ancor prima che finisse di parlare. Dopo essersi dato una rinfrescata, Crease infilò la mano in tasca per cercare qualche spiccio, ma poi si rese conto che toccando i soldi avrebbe compromesso la sterilità delle mani appena disinfettate, col rischio di rallentare il processo di guarigione.

Pru avvistò Jules che borbottava in un angolo e gli fece cenno di avvicinarsi. Era irriconoscibile, con gli occhiali colorati e il cappello da sci, e masticava nervosamente uno stuzzicadenti. Assomigliava un po' al personaggio che viene ucciso nei primi minuti di un telefilm poliziesco, per essere poi rinvenuto cadavere la mattina dopo dalla giovane e ingenua segretaria di un avvocato, nel tragitto verso la metro. Il Primo Jack accennò un abbraccio minimalista. Lizzie gli strinse la mano, che era stranamente fredda e asciutta. Come Crease, Jules non era molto loquace. Rispondeva a monosillabi, tentando di cavarsela con cenni del capo e gesti. Il Primo Jack spiegò agli altri che l'analista di Jules, di rigida osservanza brentiana, adesso pretendeva che *pensasse* soltanto in francese, anche quando non erano in seduta.

È piuttosto radicale, disse il Primo Jack, chiaramente impressionato.

La situazione cominciava a spiazzare Gramo, l'ultimo arrivato, che si aggirava qua e là roteando tra le dita il gambo del suo bicchiere di Martini. *Ehi tu!*, urlò all'indirizzo di Jules, che si defilò nascondendosi dietro il Primo Jack. Gramo si mise a ridere, incrociò lo sguardo di Lizzie e iniziò, pensò lei, a ipnotizzarla. Le stava facendo cenno di seguirlo? Sì. No. Sì. Lizzie era annoiata, ma fino a *tal* punto? Spostò il peso da un piedino all'altro.

Guarda, disse Pru al Primo Jack. Indicò una figura slanciata.

Quella figa?

Mi sa che è la DODAI.

DO-*che?*

Appena Pru gli spiegò l'ossessione di Crease, il suo accompagnatore si batté la mano sulla fronte. L'aveva conosciuta alle scuole serali. Durante l'estate avevano seguito lo stesso corso di statistica avanzata. *Devo assolutamente far mettere insieme Tracy e Crease*, disse il Primo Jack. Sarebbe stata la sua buona azione per l'anno nuovo.

Mentre lui andava a salutare Tracy, si avvicinò Testa di cavolo. Pru voleva seguire il Primo Jack, ma le sembrava scortese piantare in asso il capo.

Testa di cavolo iniziò a raccontare una storia su Jonah, ma poi s'interruppe.

Ho la sensazione di aver già fatto questo discorso, disse.

Quando?

Non lo so. L'anno scorso.

Sei tu Chris? Io sono Tracy.

Era un sogno? Che stava succedendo?

Il tuo amico Jack mi ha detto che una volta facevi l'insegnante, disse lei indicando il Primo Jack. *Insegnavo anch'io. Ma senza troppo successo!* Crease scrutò ancora il Primo Jack, che si era avvicinato al bancone facendo entusiastici cenni del capo e mostrando a Crease due pollici alzati.

Crease rimase senza fiato. All'improvviso capì. Quel delizioso accento inglese, quel viso perfetto! La DODAI!

Una gioia irreale e palpitante si scontrò col più puro terrore. Era lì davanti a lui, e gli parlava. Insegnante... che stava dicendo? Insegnava anche lei? Come lui? Forse aveva detto *inseminante*? Le parole erano semplici, lo sapeva, eppure non riusciva a decifrarne il significato. Prese fiato, riuscendo a malapena a respingere un attacco d'asma, e ripensò ai venti perfetti approcci che aveva studiato nei mesi precedenti. Posò il bicchiere, aprì la bocca sicuro di sé e disse: *HHHHHHHHHHHHhhhHHH!*

Lizzie tornò da Pru e Jonah.

Che c'è che non va?, domandò Pru.

Mi sa... mi sa che il giorno era oggi.

Di cosa?

Di Gramo... della sua... sì insomma.

Fissò nel vuoto davanti a sé, il riflesso delle luci contro la finestra. *Secondo me sta provando a farmi impazzire per costringermi a dare le dimissioni.*

Videro Gramo che si dirigeva verso l'uscita, lentamente, forse un po' a gambe larghe. Tutti stavano a debita distanza.

Lizzie disse: *Vorrei che quest'anno fosse già finito.*

Mi sa che l'hai già detto l'anno scorso, notò Pru.

XX. Non capisco

La mattina dopo arrivarono tutti in ufficio in ritardo, alcuni così in ritardo che non era neanche più mattina. Era tradizione dopo le feste. Ma oggi, per la prima volta, c'era quel malefico lettore di tesserini che li aspettava sul muro accanto all'ascensore.

Laars riuscì a svegliarsi presto per andare dal dentista, che gli applicò una capsula temporanea sul dente rotto. Aveva lasciato il paradenti nella toilette dello Schüssmeisters, ma non aveva certo voglia di andarlo a riprendere. Se non altro il labbro era tornato alle dimensioni normali.

Pru uscì dall'ascensore e strisciò il tesserino, o almeno così le sembrò. Il lettore non ebbe alcuna reazione, come al solito. Nessun clic, nessun bip, nessun segno che il tesserino avesse lasciato traccia del suo passaggio. Di punto in bianco, Pru fece roteare la gamba e sferrò un micidiale colpo di kung fu. Lo colpì di lato con il tallone, scardinandolo dalla parete.

Oh cazzo.

Rimase appeso al muro soltanto con un chiodo e oscillò per un secondo nauseante.

Nessuno si era accorto di niente. Pru istintivamente pestò sul bottone Giù. L'ascensore si aprì immediatamente e lei si fiondò dentro, scese al piano terra e risalì di nuovo al quarto piano, come una specie di viaggio nel tempo. Avrebbe ricominciato da capo e tutto si sarebbe sistemato.

Il giorno dopo la festa, con le cuffie di Glottis in testa e la falcata energica, Gramo era insopportabilmente su di giri. Aveva un'espressione compiaciuta e i capelli sistemati alla bell'e meglio. Tentò di parlare con Lizzie, ma Lizzie non aveva nessuna intenzione di dargli retta. Ogni volta che lui si avvicinava, lei era al telefono a parlare, o fingere di parlare, con Pru, sua madre, oppure Liz, la segretaria dei californiani.

Gramo aveva il lettore in mano e scuoteva la testa. *Questa è stata una brillante idea di Russell,* disse senza rivolgersi a nessuno in particolare. Quando Laars fece una pausa caffè alle due vide che il lettore era stato sistemato.

Crease meditava su alcune faccende rimaste in sospeso. Nessuno voleva dirgli che cosa era successo, o doveva essere successo, tra la DODAI e Jonah, che oggi a quanto pare era assente: tu quoque Jonah, sedicente amico.

Che importava? Crease poteva immaginarsi la scena. Li aveva visti andar via insieme, nascosto in un angolo a spiarli, ammutolito e impotente. Non si era mai fidato del tutto di Jonah.

Superò Pru nell'Alcova Rossa e si accomodò tra i cataloghi e le riviste. Mentre le donne chiacchieravano, lui scivolò nel sonno, inalando gli annunci profumati, la testa quasi ma non del tutto sulla spalla di Pru, poi quasi ma non del tutto in grembo.

Pru tornò alla sua scrivania appena lui cominciò a russare sommessamente.

Il tempo svanì. Sentì che qualcuno gli adagiava una coperta sulla spalle e si domandò: *La DODAI? Possibile che...?*

Si sforzò di aprire gli occhi e vide di sfuggita qualcuno che si allontanava. Non una donna, no, ma l'Innominabile, dinoccolato e borbottante. Crease accennò un sorriso di ringraziamento, si rimboccò la coperta e sprofondò di nuovo nel sonno.

Lizzie stava cercando di scrivere qualcosa battendo sui tasti più forte che poteva, per non dover sentire Testa di cavolo che imprecava nel suo ufficio. Era successo qualcosa di grave. I californiani erano sul piede di guerra? Ogni tanto le chiedeva un numero di telefono, una stampa, con il tono che avrebbe potuto usare per chiedere un nuovo lavoro, una nuova vita. Lei stava provando a spulciare i vecchi documenti di Jenny, sia cartacei che elettronici, ma era un garbuglio impossibile. Tentò una ricerca globale in rete e il computer rispose: *Non capisco.*

Più tardi, a giudicare dal rumore, sembrava che Testa di cavolo stesse scagliando libri attraverso la stanza, il famoso catalogo di Testa di cavolo, gli scritti più noiosi mai raccolti in una libreria. Sentì il suono di pagine stracciate, ringhi soffocati, disperate risate.

Uuh-uuh. Uuh-uuh.

Adesso era la voce di Gramo, nel vivavoce di Testa di cavolo. Il volume era al massimo e le parole erano così distorte che Lizzie non riuscì nemmeno a riconoscere l'accento.

Laars provò a lavorare per una decina di minuti, poi decise che la giornata era finita. Era troppo stanco. Era contento per il dente riparato. Lo smarrimento del paradenti era una liberazione. Recuperò il buonumore entrando in rete e spendendo trecento dollari in abbigliamento vario e facendo offerte per altri quattrocento dollari su cose per cui comunque nel suo appartamento non c'era spazio.

Faccio proprio schifo, disse. Si ridimensionò di qualche punto nella scala di Ernie e annullò tutti gli ordini. Sperava che le sue offerte su eBay fossero state ormai surclassate, tranne magari quella tuta vintage.

Mentre il pomeriggio si trascinava lentamente, Laars aveva sempre più voglia di contatti, pettegolezzi, chiacchiere inutili. Non era quello l'unico lato positivo di stare in ufficio? Il rapporto umano. In genere si evitava sempre di stare soli, tranne quando gli altri diventavano troppo negativi e allora speravi che si azzittissero, il che ultimamente accadeva spesso.

Al momento Laars non aveva nessuno con cui parlare. Jonah non si trovava da nessuna parte. *Jonah!*

Con la DODAI*?* Per quei quattro peli di barba? Laars era allibito. Si grattò il mento e rimuginò sulla sua potenziale barba.

Continuò a passeggiare nell'ufficio silenzioso. Non gli piaceva sentire l'eco dei suoi passi.

Lizzie era seduta alla scrivania con il telefono premuto all'orecchio, annuiva ma non diceva niente. Crease era immerso nel sonno.

Laars andò a trovare Pru.

Nel suo scomparto, l'Innominabile stava accatastando pile di roba. C'era una pattumiera azzurra, mezza piena. Una scopa e una paletta.

Che succede?, chiese Laars, dimenticando la scarsa loquacità dell'uomo.

Il computer di Pru era acceso, ma lo schermo era vuoto: niente scritte, niente icone, solo un campo grigio. Un raccoglitore di plastica color panna conteneva una pila di documenti. Un progetto di lavoro a maglia abbandonato era stato gettato ignominiosamente nel cumulo di rifiuti: un guanto, di filo marrone con un tocco di azzurro. Laars notò che Pru aveva fatto solo tre dita.

Pru, disse all'Innominabile. *La ragazza che sta seduta qui...*

L'Innominabile smise di spazzare e scosse la testa lentamente. Si portò una manona sul cuore, e Laars si accorse, per la prima volta, che all'Innominabile mancava un dito.

L'Innominabile si mise l'indice davanti la bocca, per far capire che si trattava di un'informazione riservata. Poi indicò la fine del corridoio. Una luce era accesa in fondo al tunnel. Laars iniziò a camminare, inoltrandosi nel labirinto al centro del quale risiedeva Gramo.

Più tardi, Laars chiamò Lizzie al cellulare. *Non capisco proprio cosa sia successo*, disse. *Pare che Gramo abbia licenziato Pru.*

XXI. CANCELLATO

<|||>

RITORNA ALLA VERSIONE SALVATA

DA: mailer-daemon@occupazioneparallela.com

A: jonahhh@jonahhh.com

RE: CARA PRUNE

Il messaggio che segue è stato ricevuto dal mailer-daemon alle 21:11 di giovedì 28 agosto e non è stato possibile consegnarlo perché l'utente "Prune" non esiste.
Consiglio: Verificare l'indirizzo. Accertarsi che fosse destinato a "occupazioneparallela.com".
Non rispondere a questo messaggio.

<fine del messaggio generato automaticamente>

<segue messaggio originale>

—

Cara Pru, è strano scrivere una lettera che è proprio una *lettera*, piuttosto che un'e-mail da sbronzi a notte fonda (la mia occupazione preferita), tutta in minuscolo e con la punteggiatura gettata alle ortiche, ed è doppiamente strano scrivere a te, visto che neanche ti scrivo più e-mail da sbronzo a notte fonda, ma il mio modo di gestire le cose, come ho imparato al ritiro, è fatto così: seguo l'istinto, mi affido alla sorte, lancio palline di carta nel cestino vicino alla porta e penso *Se questa entra, la risposta è sì*, quindi immagino che ci sia un motivo preciso se, dopo aver deciso cinque minuti fa di infrangere la mia rigidissima nota di riservatezza, ho battuto sulla tastiera «Cara Pru» invece di «Cara Lizzie», «Caro Crease» o «Caco Laars» (leggi: «Caro»); e sebbene le passate vicende suggeriscano decisamente che di me non c'è da fidarsi, spero che se mai questa lettera ti arriverà – se le parole che sto scrivendo adesso, tanto per cominciare, manterranno una forma minimamente leggibile, e se avrò le palle, una volta finito questo calvario, di stamparla davvero e imburrarla, all'antica (al posto di *imburrarla*, leggi *imbucarla*, e già che ci siamo, cambiamo *palle* in qualcosa di meno esplicito; probabilmente è il momento adatto per spiegare che non posso tornare indietro per fare correzioni, per paura di perdere il segno, perché si dà il caso che da tre ore – o più? – sono bloccato in ascensore, sospeso in un buio di tomba a metà tra il terzo e il quarto piano – ascolto i cavi che vibrano, e ogni tanto sento le grida lontane degli addetti alla sicurezza che dicono *Tieni duro, bello!* o il rumore di un oggetto metallico, forse una chiave inglese molto pesante, che risuona contro le travi mentre precipita nell'abisso – e anche se il mio portatile è acceso, ahimè, non fa luce: quando l'ascensore si è fermato con un sobbalzo, sono finito a gambe levate e un istante dopo ho sentito un altro tonfo – il computer era scivolato fuori dalla custodia e faceva un clicchettio sconcertante, come se si fosse trasformato in un grosso insetto parlante; al tatto era caldo, così ho aspettato che il rumore e il calore diminuissero – contando ad alta voce, misurando coi passi la mia cella – e mi sono concentrato su questioni più impellenti, ma alla fine si era rotto comunque: poco dopo ho aperto lo schermo, mi sono scrocchiato le dita e ho deciso di scriverti una lettera invece di rimuginare su quell'agghiacciante foglio di calcolo che Lizzie mi aveva mandato stamattina, solo che poi il documento ha cominciato a oscurarsi: riuscivo ancora a distinguere i caratteri che si formavano sotto quella nebbia pixelata, ma proprio mentre finivo di scrivere «Cara Pru, è strano scrivere una lettera che è proprio una *lettera*», lo schermo è diventato completamente nero come l'aria che mi circonda, rendendomi impossibile distinguere le parole; per fortuna, me la cavo abbastanza bene con questa specie di scrittura radar, grazie ai miei esercizi: quasi tutte le mattine, arrivato in ufficio di buon'ora, con le vene che pompano grazie all'ottimo caffè di quel chioschetto fricchettone, o per un sorso di "Sexpresso" dello Starbucks Sfigato, scrivevo a occhi chiusi per cinque minuti, buttando giù quello che mi passava per la testa – serviva a concentrarmi, e al tempo stesso a rifare un piccolo test che mi dava mio padre da bambino, mettendomi seduto davanti alla sua impressionante Shalimar meticolosamente curata (un'antica macchina da scrivere che scintillava come oro, salta fuori su eBay a ogni morte di papa, è lo yeti delle macchine da scrivere, con un prezzo così alto che mi fa aumentare il senso di vertigine), sulla quale picchiettavo tutto quello che mi veniva in mente – slogan pubblicitari, battute di polizieschi, nomi di presidenti – un flusso di coscienza che mio padre studiava con attenzione e correggeva, da insegnante qual era; e adesso questo allenamento al tocco stile Ninja mi torna utile qui in questo bozzolo metallico, o forse mentale – per esempio, so che parte del trucco sta nello stabilire un ritmo, nell'immaginare il testo come una partitura musicale che devo semplicemente eseguire, anche se non esiste finché le mie dita non sfiorano la plastica, e se *proprio* devo fermarmi dovrei contarla come una pausa, immaginare le misure di quei tastini neri appesi come pipistrelli alle linee elettriche per tutto il tempo che mi occorre, e nel frattempo trovare quei piccoli rilievi sui tasti F e J, riportare le dita sulla via di casa, e fingere di avere di nuovo dieci anni ed essere in comunione spirituale con la Shalimar; sarebbe utile se fossi una specie di cervellone, mettiamo, uno di quelli che automaticamente tiene il conto di quante battute ha digitato, registrando ogni lettera, spazio e virgola in qualche piega del cervello altrimenti impolverata, di modo che lui – io – possa schizzare indietro con precisione con i tasti freccia e cambiare *imburrare* in *imbucare*, *Caco* in *Caro*, sostituire *palle* con *coraggio*, *grinta* o, con la specialità di Testa di cavolo, *cojones*, pronunciato con un certo gusto cruento sudamericano; e già che stiamo parlando di questioni di tastiera, dovrei accennare al fatto che la settimana scorsa, dopo mesi di prestazioni altalenanti, il tasto del punto di questo decrepito porcatile si è guastato definitivamente, pochi giorni dopo che il pulsante di Invio aveva deciso di incepparsi, il che significa che posso concludere ogni frase con un punto esclamativo! – o un punto interrogativo? – ma probabilmente non farò altro che scodellare tutto in una tirata liberatoria, la cosa migliore per rimuovere ogni ricordo di questo postaccio, ogni possibile prova a mio favore, e così potrai capire perché ho dovuto fare quello che ho dovuto fare; e ho una vaga consapevolezza che questa divagazione sulla mia attuale cecità e sulle varie carenze tipografiche abbia già messo in secondo piano la lettera vera e propria – perciò prima di tutto sbrogliamoci da queste parentesi) – spero, cara Pru, che almeno leggerai fino in fondo e mi seguirai nonostante lo stile ballerino – *Tieni duro, bello!* –

perché senza la prospettiva di un contatto la mia situazione attuale lascia molto a desiderare: sono seduto sulla moquette dell'ascensore (è gommosa e puzza vagamente di cane), ingollo l'ultima barretta d'avena, mi sforzo di non andare nel panico, rimuovo visioni di scarafaggi che strisciano sulle pareti, ignoro le esalazioni di vapore invisibile che filtrano dallo sfiatatoio – e quindi dedico quel che resta della batteria (dovrei avere due ore buone, anche se non ho modo di calcolare il tempo) a fare carta straccia della nota di riservatezza per metterti al corrente di cosa è successo da quando sei andata via, e come è andata a finire con la temutissima tribù dei Californiani Invisibili, l'Operazione JASON, Gramo e Testa di cavolo, gli ultimi sviluppi talmente folli da far rizzare i capelli – non per allettarti, ma semplicemente per suggerirti che alla fine io possa anche non essere un *leccaculo opportunista* (come Laars, nel pieno del suo quotidiano arruffianamento, ha detto che mi hai chiamato una volta, non che possa biasimarti) o un più banale *emerito coglione* (questa l'ha messa in giro Crease) – e non passa giorno in cui non sogno una successione degli eventi alternativa, dove io riesco a scrutare nel futuro, come Henry dell'Ufficio Personale, e comprendere all'istante come si incastreranno tutti i tasselli, facendomi suonare il campanello d'allarme in anticipo in modo che si salvino tutti – in modo che, tanto per cominciare, tu non sia più *assente*; non posso fare a meno di pensare che se fossi stato *un attimino* più furbo, e avessi tirato le somme qualche settimana prima, avrei potuto evitare tutte quelle maldicenze e quei pettegolezzi, le nervose dietrologie man mano che ci scindevamo in gruppetti sempre più instabili di due o tre persone, teorizzando sottovoce in cubicoli lontani, oppure fuori nel purgatorio dei fumatori, o allo Starbucks Figo, o bevendo un bicchiere di troppo qui sotto, sostanzialmente facendo scommesse su chi sarebbe stato il prossimo a saltare, a beccare la mazzata, a rimetterci la testa, a restare col cerino acceso, a finire a spasso – l'umorismo macabro è arrivato al culmine quando hanno cominciato a tirar fuori l'immaginario nazista (Crease ha detto che Lizzie sarebbe stata un bel paralume, Laars ha indicato il soffitto dicendo: *Da lì spruzzano lo Zyklon-B*; anche se a pensarci: hai mai notato che i divisori dei vecchi cubicoli a quattro posti assomigliano a delle svastiche, visti dall'alto?) – ma dovrei smetterla di dirti quello che sai già e raccontarti invece qualcosa che non sai, la storia di Gramo, che era più assurda di quanto voi pensaste (persino Lizzie non ne sa mezza), e che il mio bavaglio legale mi ha impedito di rivelare – credo che comincerò tornando indietro di alcuni mesi, dopo che avevamo conosciuto meglio Gramo: una sera tornai in ufficio dopo aver finito il corso (il corso dove imparavo a diventare un manager con i controcazzi, tenuto da uno che era la copia carbone di Testa di cavolo, aveva addirittura lo stesso odore di sapone) perché avevo dimenticato un file – ricordo che era Halloween e volevo sbrigarmi a tornare a casa, per evitare l'orda di scheletri pirata, marziani incappucciati e vampiri vagabondi che stavano già strepitando minacciosi lungo i marciapiedi, per strada, sparpagliandosi in tutte le direzioni, mentre gli allarmi delle auto risuonavano per solidarietà, in una demenziale sinfonia, ma andando verso la mia scrivania udii un curioso fuoco incrociato di urla che arrivavano da qualche parte all'interno dell'ufficio, e così andai a indagare, camminando in punta di piedi, drizzando le orecchie per cogliere ogni rumore, finché non mi ritrovai vicino alla vecchia sala riunioni abbandonata accanto alla tana di Gramo, quella con le bombolette di propano vuote, le matasse di cavi abbandonate e la lampadina impiccata alla *Psycho*: intravidi Gramo e Testa di cavolo (riconoscerei quella nuca dappertutto) e scivolai nell'ombra di un enorme cassonetto blu, mantenendo una fetta di visuale, acquattato così vicino che riuscivo a sentire l'odore nauseabondo dei pennarelli mentre Gramo scriveva *Operazione* JASON sulla lavagna bianca e inseriva delle barre tra la *J*, la *A*, la *S* e la *O*, in modo che soltanto la *N* rimanesse non contrassegnata, con i suoi angoli affilati come rasoi – la sua calligrafia era tanto nitida quanto la sua scrittura al computer era confusa – e diceva a Testa di cavolo che l'ultima fase dell'Operazione JASON stava per cominciare e aveva bisogno della sua piena collaborazione perché tutto filasse liscio; un passo falso in dirittura d'arrivo sarebbe stato fatale, avrebbe cancellato tutti i progressi fatti nei mesi precedenti, al che Testa di cavolo rispose, con la sua voce più conciliante, che *naturalmente* avrebbe fatto tutto il possibile per garantire la perfetta implementazione dell'Operazione JASON, perché si rendeva conto che era un elemento importante del piano, ma non sapeva, francamente, se le cose dovevano procedere *per forza* così veloci come esigeva Gramo – sapeva che Gramo aveva un bel daffare in qualità di CRO (*comecome?*), ma aveva l'impressione che ci fossero alcune cose di cui anche il più radicale e feroce dei CRO doveva tener conto: noi (*noi!*) eravamo allo stremo – poco tempo fa avevano mandato a casa Jill – ed era fondamentale che non si eliminasse altro personale per i prossimi sei mesi *minimo*, una richiesta che ebbe l'effetto indesiderato di far sghignazzare Gramo, con un tale disprezzo che Testa di cavolo fece immediatamente marcia indietro, passando a *Quattro mesi?*, e Gramo diede una manata sulla lavagna talmente forte da farla tremare, e ribatté, con un tono di voce efferato, *Perché non pensi al tuo lavoro, Russell, altrimenti dovrò pensarci io* – a quel punto Testa di cavolo (che strano sentirlo chiamare *Russell*) chiarì che non intendeva in alcun modo interferire con il lavoro di Gramo (capiva *perfettamente* la gravità della situazione, la delicatezza, la necessità di discrezione – doveva essere il motivo per cui si vedevano alle otto e mezza di sera) ma semplicemente voleva mettere una buona parola per alcune persone, una sospensione dell'esecuzione per coloro che aveva maggior bisogno di risparmiare; ma quando Gramo pretese di sapere *quali* persone, di preciso, richiedessero tale trattamento, Russell – o meglio, Testa di cavolo – nicchiò finché Gramo non gli disse di classificarci, dal più prezioso al meno: io non riuscivo a vedere la metà della lavagna, ma ero sicuro che Testa di cavolo mi stesse collocando al primo o all'ultimo posto dell'elenco, così in un modo o nell'altro, marchiato come peggiore o elogiato come migliore, sarei comunque saltato agli occhi – troppo palesemente inutile, oppure troppo nelle grazie di Testa di cavolo: mi sa che sto diventando paranoico (o narcisista, suona bene), soprattutto perché in apparenza io e Testa di cavolo andavamo molto d'accordo, tutti e due sempre pronti a scherzare, con un grado di amicizia sopravvissuto perfino alla sospensione di una settimana che mi ero beccato due anni fa (una sanzione comminata dopo che avevo protestato per la sospensione di *Crease*, a sua volta conseguenza della sua difesa di *Jules*, dopo che Jules "accidentalmente" aveva dato fuoco al computer di Jill, per riepilogarti tutta la luccicante catena di eventi) – la cosa strana era che Testa di cavolo aveva cominciato ad aprirsi con me, anni fa, perché inspiegabilmente si era messo in testa che avevo una figlia, e quindi dava per scontato che fossi un padre di famiglia come lui, e man mano che passava il tempo diventava sempre più difficile comunicargli che in realtà non solo non avevo figli ma ero anche patologicamente single, e divenne quasi impossibile dire la verità dopo che mi aveva confidato che lui e Sheila stavano cercando di adottare un secondo figlio, una bambina cinese (per fare il paio con il loro primo figlio, mulatto come me), ma la trafila burocratica era talmente lunga – una serie quasi tragicomica di documenti smarriti, moduli indirizzati erroneamente e informazioni fondamentali storpiate da entrambe le parti durante la traduzione – che se all'inizio ci voleva un anno alla fine era diventato un incubo di tre anni, e anche se era orribile ammetterlo, non volevano più la bambina che avevano scelto, la bambina che erano andati fino in Cina per vedere, perché ormai parlava mandarino e (in occasione della seconda visita) aveva mostrato soltanto un blando interesse nei loro confronti, se non disprezzo vero e proprio, e come se non bastasse il nasino a patata era diventato un'enorme proboscide e le orecchie da ostrica delle parabole satellitari, un cambiamento talmente radicale che avevano addirittura covato il sospetto che non si trattasse della *stessa bambina*; l'agenzia per l'adozione, purtroppo, aveva capito subito che erano in preda al panico e aveva cominciato a tempestarli di fax quotidiani e di un impressionante assortimento di diffide in triplice copia, sostenendo che Testa di cavolo e signora erano vincolati per legge a prendere la bambina, ma al tempo stesso annunciavano formalmente che l'adozione non si sarebbe realizzata molto presto, probabilmente a causa di quel comportamento da yankee cattivi, e di conseguenza gli sarebbe stato richiesto di inviare crescenti quote di "sostentamento" mensile all'agenzia, oltre alle normali spese di contabilità, e a Testa di cavolo era balenato che forse lui e Sheila avrebbero potuto semplicemente tirare su Ting-Ting in quel modo, a distanza e con periodici versamenti di contante, per il resto della sua vita, una perfetta figlia della burocrazia: e quindi avevo questa intimità con Testa di cavolo, basata interamente su un malinteso, ma sono certo che dopo la sospensione la sua stima è calata, perché ero diventato per sempre uno di *loro* (il suo *loro* è più o meno un'immagine speculare del nostro *noi*), uno come Jules, che tirava solo l'acqua al suo mulino – e che, dopo aver finito di farsi i fatti suoi, invece di rilassarsi tornava al suo mulino e si rimetteva a farsi i fatti suoi; e a dirla tutta, proprio non capisco perché pensava questo di me: questo è l'aspetto brutale del suo lavoro (che adesso, tecnicamente, è il mio): non hai alleati, nessuno su cui contare fino alla fine della giornata – senz'altro non tra la gente che superdimensioni (dovrebbe essere *supervisioni* – sto morendo di fame) e specialmente non il tuo assistente, che prende nota mentalmente di tutte le cazzate che fai, materiale per future rimostranze o pettegolezzi, e così inizi a pensare che forse non è una cattiva idea tenere la porta chiusa, e tenere sempre una bottiglia di qualcosa nel cassetto in basso a destra, una fiaschetta d'emergenza, e visto che lo sputtanamento è totale devo anche dirti che dopo pranzo – il mio solito pranzo solitario del venerdì – sono passato in diversi posti, tra cui un negozio di liquori, e siccome al mio piano non sono mai arrivato, tantomeno alla scrivania, ho l'alcol qui in ascensore, e *solamente* a scopo di controllo qualitativo sto bevendo qualche goccetto ogni tanto per buttare giù 'sta barretta all'avena e trovare il coraggio di finire questa lettera per te ed esporre per filo e per segno tutto ciò che voglio esporre, anche in questa maniera disordinata, piena di digressioni che seguono il corso dei pensieri, ma gli effetti collaterali sono che la testa mi gira di brutto, come se il mondo intero stesse oscillando (e può darsi che sia così) e ho il sospetto che *molto presto* avrò bisogno di pisciare – ti risparmio i particolari più intimi e dico solo che passerà un bel po' di tempo prima che mi liberino da questa gabbia: appena sono entrato in ascensore qualche ora fa, ho sentito una serie di suoni striduli che soltanto dopo (appena le porte della cabina mi hanno murato dentro ed è cominciata la salita) ho considerato potessero essere dei *fischi*, e appena mi sono domandato, debolmente, se c'entrasse mica quell'avviso per le demolizioni sulla rete idrica di mesi fa (appena ho provato a ricordare se avevo sentito *due* fischi o *tre*) è cominciato un rombo sordo, così profondo che era impossibile determinare se venisse dal basso o dall'alto, dall'interno dell'edificio o dall'esterno, e un istante dopo la salita dell'ascensore si è interrotta con tanta forza che mi sono staccato da terra per un secondo, poi ho sbattuto contro la parete in fondo, sono stato scagliato in avanti contro le porte, e delicatamente, beffardamente mi sono ritrovato con le chiappe sul pavimento (l'impatto ha attivato il cellulare, che ha scattato una cinquantina di foto all'interno della mia tasca, scaricando la batteria da due tacche a zero), e mentre una pioggia di metallo e calcestruzzo si abbatteva a sprazzi sulla cabina, la custodia del portatile mi è scivolata dalle mani ed è caduta di lato; guardando le luci in alto che si spegnevano silenziosamente, ho pensato, con freddezza, *Buffo, l'edificio sta crollando*; dopo qualche istante ho riaperto gli occhi, solo per rendermi conto che erano già aperti, e ho scrutato nel buio, gridando *C'è nessuno?*, per assicurarmi di essere completamente solo – e che un mostriciattolo piccolo e silenzioso non si fosse infilato in qualche modo nella cabina insieme a me, perché una compagnia sarebbe insopportabile in un ambiente così angusto: la prossimità aumenterebbe la tensione, le rumorose rassicurazioni reciproche farebbero solo da preambolo a una monumentale reazione isterica con tanto di pianti, scazzottate e attacchi d'ansia a turno – per non parlare della rapidità con cui due persone consumerebbero l'aria disponibile in dodici metri quadrati (ho percorso tutto il perimetro, Pru, ho tastato tutta la superficie, ho premuto ogni bottone mille volte) – è facilissimo perdersi nel buio, anche quando non c'è nessun posto dove andare: diventi tutto orecchi, dai forma a ogni suono per ricavarne un indizio, e adesso ripenso col senno di poi a quello che sentii lo scorso Halloween, rannicchiato davanti a quella camera degli orrori: Gramo, il CRO, che chiedeva a Testa di cavolo se avesse la minima idea (*aidìa*) di cosa significasse quella sigla, senza attendere la risposta: *Se hanno chiamato in causa un Capo Ristrutturazione Onnipotente, Russell, significa che* la struttura *è più che fottuta*, era un *fallimento* che esigeva immediata riparazione, e quest'ultimo segmento dell'Operazione JASON avrebbe richiesto di tagliare una persona dal sesto piano e tre dal quarto, disse, e mentre Testa di cavolo biascicava *Ma dove li prendi questi numeri?*, Gramo si lanciò in una sibilante litania di tutte le cose che non andavano nell'azienda, dal colore della carta da lettere (troppo vivace) alla divisione del lavoro (*ridondante* era la parola che ricorreva più spesso), una critica pressoché spietata e totale, eppure stranamente astratta, come se questa fosse l'ennesima variazione minore di un discorso che faceva a tutti i suoi clienti/vittime, preparato con costanti riferimenti a se stesso e al suo titolo – CRO, CRO, CRO, ripetuto all'infinito finché quelle iniziali mi entrarono a forza nella testa, e cominciai a pensare che Gramo fosse il più furbo dei volatili, il Corvo, un imitatore con la passione per la carne: *Sono qui per fare a polpette, Russell*, diceva, *per buttare tutte le parti inutili nel tritacarne, così quello che verrà fuori sarà quasi gradevole* – e così via, e alla fine Testa di cavolo balbettò che per lui era difficile pensare all'ufficio come a una macelleria o a un mattatoio, perché quel posto aveva una *reputazione*, una storia, un'*iden...* ma Gramo lo interruppe: *Magari fosse un mattatoio! Sarei in estasi, sarei al settimo cielo, perché ci sarebbe carne fresca appesa qua e là, pronta per il mercato* – batteva sulla lavagna per dare più enfasi – *e non avrei bisogno di piluccare qui e là, torna qua, torna qua, insolente ciao* – ! – Testa di cavolo se la svignava e io tiravo dentro le gambe, restringendomi alle dimensioni di un puntino, trattenendo il fiato mentre il nostro leader in disgrazia arrancava davanti a me, certo che mi avrebbe visto; passati quindici secondi, con il Corvo che sghignazzava acido tra sé e sé, mi misi alle calcagna di Testa di cavolo, strisciando lungo le pareti come un'ombra, e potrei giurare di averlo sentito mormorare, mentre le porte dell'ascensore si chiudevano: *fottuto, sono completamente* – con il tono di chi ha i nervi a pezzi e la vita improvvisamente precaria, e stavo quasi per avventarmi sul pulsante e seguirlo, ma poi iniziai a elaborare un piano, o se non altro una *strategia* per riflettere su ciò che stava accadendo nel nostro ufficio: a fine serata, dopo essere fuggito da quella casa infestata ed essermi fatto largo a gomitate tra la ressa di spiritelli maligni e aver camminato con cautela sui marciapiedi cosparsi di vomito, decisi di tenere per me l'episodio di Gramo, e di mantenere le distanze da te – da Crease, Lizzie, Laars e da tutto il bestiame destinato al macello – per riuscire a capire quale fosse il ruolo del Corvo Gramo, e la natura del potere che esercitava su Testa di cavolo: nelle settimane a seguire vedevo che dietro la facciata svampita, distesa e tecnofobica, Gramo ci considerava completamente usa e getta – anzi, cominciavo a sospettare che ci volesse mandare via dal momento in cui aveva cominciato a farla da padrone, il che (ho scoperto poi) *non* era avvenuto dopo che Jill era stata spedita in Siberia, come pensavano molti di noi, ma di fatto quasi un anno prima: so che questa cronologia ti manderà in confusione, ma sono sicuro che è corretta – ti spiegherò come ho messo tutto insieme, ma per adesso immaginati soltanto Gramo non come lo conoscevamo noi ma come il *Corvo*, che lavora con discrezione in Siberia in un cubicolo libero, raccoglie informazioni sul nostro conto in un silenzio monacale, nemmeno usa il telefono o il computer, riceve relazioni da Maxine e da Testa di cavolo tramite l'Innominabile, il nostro fattorino dal passo felpato, ed è tutto organizzato per non far trapelare nulla; immagino che Jill a volte vedesse ombre misteriose sul cartongesso, o sentisse un rumore di passi, un sospiro, una risata soffocata, e immagino che non ci stesse più con la testa; poco dopo Halloween, cominciai a seguire i movimenti del Corvo: due volte la settimana prendeva un taxi per andare al bar di quello che presumevo fosse il suo albergo in centro, dove complottava con Testa di cavolo e "K.", la nostra misteriosa regina di ghiaccio al quinto piano, e sorseggiava un'acqua tonica mentre loro tracannavano scotch e straparlavano, incoraggiati in egual misura dal fatto di bere durante l'orario di lavoro al bar di un hotel del centro e dal puro e semplice terrore psicotico, perché per loro, lui non è mai stato l'inglese compagnone, arruffato, simpaticamente incomprensibile che si è presentato con *Chiamatemi Gramo*, ma Gordon G. (per *Graham = Gramo*) Knott, un fatto che ho dedotto perché Testa di cavolo a volte lo chiamava *Gordon*, e "K." si rivolgeva *sempre* a lui chiamandolo *Mr Knott* – Gordon Graham Knott, scoprii abbastanza facilmente, era uno

258

dei più famigerati CRO sulla piazza, guardato con timore reverenziale per le sue truculente tecniche di ristrutturazione e per i risultati all'attivo, un uomo disprezzato non solo dalla folta schiera di impiegati falcidiati rimasti ad annaspare sulla sua scia (sicuramente se ne contavano a migliaia) ma anche dai dirigenti più conservatori nel settore; venuto a conoscenza di questa reputazione, consumai un po' di scarpe per pedinare il Corvo nelle sue puntate al bar del centro, prendendo nota dell'atmosfera che si andava deteriorando, dei silenzi glaciali e di chi pagava il conto (sempre Testa di cavolo o "K."); saltuariamente, per questi appostamenti prendevo dei giorni di permesso e osservavo dalla balconata "K." – molto scossa, a volte perfino *singhiozzante* – uscire dal bar diretta in stazione per tornare a casa in treno, e benché all'inizio dessi per scontato che il Corvo alloggiasse in albergo, a spese della ditta, alla fine tornava anche lui in ufficio, da solo, per non uscire più, e con questo voglio dire: era evidente che Gramo non era un ospite a lungo termine dell'albergo, ma in realtà l'abitante di un angolo dimenticato della Siberia, dove ordinava da mangiare, si lavava (più o meno) nel bagno sorprendentemente spazioso del custode, faceva venire a prendere e lavare i vestiti, e dormiva sul comodo divano: per quello che potevo giudicare, l'ufficio era casa sua, e questo avvalorava alcuni elogi lusinghieri di "Gordon G. Knott" che avevo trovato in rete (uno «stakanovista» che «non fa sconti a nessuno» e «che ha come unico scopo raggiungere il prossimo scopo»); più o meno in quel periodo, i ciuffetti di peluria fatti crescere quasi per scherzo erano in pieno rigoglio, oserei dire magnifici, e adesso offrivano un utile schermo protettivo, una barba in piena regola che si univa ai baffi già durevoli: stavo entrando sotto copertura per questa missione, scivolavo in una nuova identità, quasi allo stesso modo in cui Gramo si era spacciato per collega invece di mostrarsi come il Corvo in tutto il suo piumaggio: *Sarei diventato anch'io un estraneo*, così a poco a poco nella sua mente sarei stato difficile da collocare, sempre più bizzarro, anonimo; certe notti, mentre sgobbavo come uno schiavo, facevo una pausa, mettevo la camicia da lavoro blu di mio padre, quella che tengo dietro la porta, e mi avvicinavo alla scrivania di Gramo, spazzando o spruzzando, esaminando il pavimento alla ricerca di un qualsiasi indizio, fischiettando come uno scemo, sembravo tale e quale un custode; ho capito che il travestimento funzionava quando una sera, circa una settimana prima della festa di Natale, mi ha chiamato a gran voce mentre ci davo dentro con secchio e spazzolone, fischiettando YMCA, e ha chiesto se mi dispiaceva *fare un salto* a *prendere* qualche *paglia* e una birra – ho sorriso – *magari anche un po' d'erba?*, ha aggiunto con un risucchio esagerato, come se fossi il tipo che sapeva come procurarsi quella roba, e con una strizzatina d'occhio mi ha allungato un centone, che ho provveduto a convertire nelle provviste richieste, e così abbiamo bevuto alla rispettiva salute, assaltando la cenetta tailandese che si era fatto portare, e mi sono trattenuto un po', ascoltando più che parlando, sorseggiando la birra invece di scolarmela, fumando senza aspirare e aspettando che l'erba cominciasse a fargli effetto (come lui, che non beveva mai niente di più forte di un'acqua tonica nelle sue riunioni al bar dell'hotel); dopo aver messo a confronto termini inglesi e americani per gli articoli casalinghi, le sostanze illecite e le posizioni sessuali, ha cominciato a raccontarmi la storia della sua vita, *una vera cannonata*, per dirla con parole sue, dagli inizi in un angolo oscuro di Londra, figlio di un ventriloquo itinerante, alla grande occasione come assistente di un avvocato, cominciare la scalata, *imparare il mestiere*, un anno di scuola aziendale, brutte droghe, un *matrimonio burrascoso* con una starlet inglese, divorzio, disintossicazione, America, *una grandiosa seconda chance*, droghe pesanti, disintossicazione pesante, reimparare il mestiere, imparare mestieri completamente *diversi*, pellegrinaggio e risveglio spirituale nel subcontinente asiatico, il tutto culminato nel suo attuale successo travolgente come CRO: *In pratica un sicario freelance*, per dirla con parole sue, ha parlato del piacere che provava a smantellare le cose, capire cosa funzionava e cosa no, amputare, mettiamo, quello che apparentemente sembrava il ramo più in attivo dell'azienda per sollecitare gli altri – *La paura è l'amministratore migliore*, diceva, e *L'economia è l'arte più bella*, come se stesse regalando a me, l'umile lavapavimenti, un accesso esclusivo alla mente di una leggenda della ristrutturazione; ma la cosa strana era che la maggior parte delle sue idee – perfino le *divagazioni* – mi suonavano familiari, anche nel modo di formularle (*La mia unica regola è che non ci sono regole* o *Per principio sono contro i principi*), come se ogni capitolo della sua avvincente biografia, anzi, ogni sillaba che pronunciava, fosse già stata citata o descritta parecchie volte nelle fonti che avevo consultato, su Internet e su carta, al punto che era come vedere per strada qualcosa già apparso in sogno; piano piano l'ho portato a cambiare discorso e gli ho fatto una domanda sul meccanismo con cui si piega al proprio volere un'intera azienda, per quanto sull'orlo del tracollo, e il solo *pensiero* che un umile spazzino dimostrasse autentica curiosità per opere così sublimi lo ha deliziato, e si è sentito in obbligo di divulgare quella che si potrebbe definire la sua poetica (o forse la sua propensione al sadomaso): *Il grande, imperscrutabile mistero di tutto questo è che una volta che ti assumono,* vogliono *farsi punire* ed *È facile come premere Cancella* e *C'è un motivo, se esiste un tasto chiamato Esegui* e *Il bello è che tutto passa attraverso qualcun altro,* quest'ultima significa che il suo nome, cosa fondamentale, non compare mai in questi casi: il Corvo vola alto sopra la mischia, e non esiste un pezzo di carta con la sua firma, si vantava; se è possibile evita anche le e-mail; cosa eccentrica, viene sempre pagato in contanti mentre l'operazione è in corso (ho trovato il coraggio per chiedergli dell'Operazione JASON?); non viene mai identificato dalle sue vittime come il carnefice, ma agisce tramite quante più nemesi possibili (Testa di cavolo, "K.", Maxine), ciascuna delle quali riceve spesso informazioni contraddittorie e deve per forza, su sua insistenza, firmare ogni retrocessione e decurtazione di stipendio, eseguire ogni sospensione e licenziamento – occuparsi di tutti i compiti più sgradevoli – mentre lui mantiene nell'ombra, più a lungo possibile, qualsiasi collegamento tra sé e la mattanza; poi, appena consegue il suo obiettivo – soddisfare chi lo ha assunto – prende il volo, scompare per mesi, addirittura un anno, distruggendo ogni traccia, finché non riesce ad assicurarsi un altro incarico presso un'altra impresa con l'acqua alla gola, che gli fornisce una nuova occasione di orchestrare lo stesso caos, e dare un giro di vite; una strategia che gli era particolarmente cara, *un po' rischiosa a esser sinceri, ma ne vale la pena,* consisteva nel promuovere a suo vice un impiegato che faceva lavori umili e ingrati – gli effetti più clamorosi, ha detto, si avevano quando il soggetto era uno che almeno il 75 per cento degli altri in cuor loro detestavano («Quanto mi odiano», ho detto), e meglio ancora se era uno che lavorava in azienda da tempo, uno che tirava a campare senza probabilità di fare carriera; prendi uno che ha

un'approfondita conoscenza istituzionale e cova nutrite scorte di rabbia e ambizione repressa; nel momento stesso in cui questa persona, il più improbabile dei candidati, veniva designato, il Corvo licenziava chiunque fosse in posizione di responsabilità, una manovra che eseguiva senza alcuna malizia (diceva lui) ma semplicemente perché a volte un brusco shock è proprio quel che ci vuole, *uno scossone che disorienta* e *fa scattare l'adrenalina* (mi ero già imbattuto in queste frasi, in relazioni aziendali che spiegavano la sua filosofia) e costringe tutti a riprendersi e in moltissimi casi a lavorare come non facevano da anni, ed è questo che aveva in mente di fare con il nostro *macello di ufficio* (quanti altri uffici, mi chiedo, aveva definito un *macello*?); ha detto che non ti senti mai troppo in colpa per le persone buttate giù dalla vetta – tanto erano sicuramente degli *stronzi* e *Nulla si crea, nulla si distrugge*; abbiamo discusso a lungo, strafatti, la teoria del karma da ufficio, e io ho buttato lì scherzando che magari poteva affidare a *me* la responsabilità – dopotutto, ero qui da nove anni! – e questo lo ha fatto talmente ridere che ha sputato quello che stava bevendo, ha sbattuto la mano sulla scrivania e ha detto, *Perché no? Il custode! Porco mondo, perché no?*
– – – – (OK, Pru: sono rimasto in bambola per cinque minuti, forse anche dieci, seduto qui con il computer che butta fuori aria calda e gli occhi che ancora brancolano nel buio, le dita che prudono nella speranza di una connessione, e adesso non ricordò l'ultima parola che ho scritto, solo che stavo descrivendo il mio simpatico tête-à-tête con Gramo, e che era finito con una domanda – perciò riprendo da qui, al sicuro fra parentesi; anche se avevo intenzione di scrivere tutto in un un'unica frase serpeggiante, *bisogna concedere delle attenuanti*, come diceva Testa di cavolo, e così mi concedo un po' di re-

spiro, queste parentesi sono come dei polmoncini d'emergenza, perché diventa difficile concentrarsi: qualcuno mi sta gridando qualcosa con un megafono, è difficile dire da che distanza o direzione, e riesco a capire forse una parola su tre – JONAH zzzhhhh fffff! RIESCI zzzzhhhh *krrrr*? – la voce invece non la riconosco proprio; forse è qualcuno della squadra di soccorso che prova a dirmi qualcosa d'importante, magari stanno per scoperchiare il tetto della cabina o trapanare le pareti o far saltare in aria tutto quanto – *Mi spiace, bello!* – ma ogni volta che lancio un grido non ricevo risposta, e anche se è passato abbastanza tempo per essere ragionevolmente fiducioso che non ci siano catastrofi imminenti – c'è aria più che sufficiente, la cabina non si è schiantata al suolo, la struttura regge ancora – voglio affrettarmi a terminare questa lettera, Pru, e faccio la promessa solenne di *non* gettare questo documento nel cestino una volta uscito da questa bara verticale e aver fatto riparare lo schermo di questo computer di merda, ma di mandarlo in stampa e farmi dare il tuo indirizzo di posta ordinaria da Lizzie o – se voi due *ancora* non vi parlate – dal Primo Jack, oppure lo cercherò io stesso (Sharmila Prémaman – non hai idea di quante volte ti ho cercata su Google – e avevo intenzione di chiederti: quindi adesso disegni vestiti per neonati? E li fai di canapa?) e te la *spedirò* prima di riflettere, ripensarci, recedere; non credo neanche di poter rischiare una correzione della bozza, nonostante gli errori che questo genere di composizione alla cieca provoca, anzi, mi aspetto già matasse di sottolineature rosse che si dipanano per tutto il documento, per gentile concessione dei grammatici di MS Word – secondo me la correzione di bozze in generale è un segno di *malafede*, e la fede non è irrilevante nella situazione attuale, visto che in questo momento l'unica cosa che mi tiene su, l'unica cosa che mi impedisce di sbattere la testa contro le pareti fino a perdere i sensi, è la fede nel fatto che tu leggerai questo fino alla fine) – e adesso è ora di saltar fuori dalle parentesi, Pru: parte del tetto dell'ascensore è venuto via *davvero*, credo, perché adesso entra un filo d'aria fresca nella cabina; le mie grida (*C'è nessuno?* e *Sono Jonah* e *Sono qui dalle tre!* e di nuovo *C'è nessuno?*) restano ancora senza risposta, echeggiano su e giù lungo la spina dorsale dell'edificio, e mi chiedo se gli addetti alla manutenzione non abbiano semplicemente deciso di prendersi una pausa fino al mattino; o forse è solo che i riscaldamenti la sera vengono spenti – è sera, ormai? – e questo mi fa ricordare di dirti come ho scoperto che l'Operazione JASON non c'entrava niente con il nostro vecchio amico Jason (tra l'altro ultimamente ho avuto sue notizie, un'e-mail casuale dove diceva che aveva lavorato in Spagna ma non ce la faceva più e adesso sta lavorando a Philadelphia ma non ce la fa più): ero a casa mia a Natale, per pagare una bolletta della luce scaduta, ripensando a quel passo di E.B. White che mi avevi mostrato una volta, quando eri appena arrivata in ufficio e parlavamo per ore e ore – quel pezzo meraviglioso dove dice che i newyorchesi nativi danno stabilità alla città, mentre i pendolari le danno ogni giorno un ritmo ondoso, come le maree o qualcosa di simile, ma gli idealisti che vengono da fuori, i poeti che ce la mettono tutta, gli aspiranti artisti circensi e via dicendo le danno tanto calore ed energia da far apparire piccolo anche un colosso dell'elettricità come la Edison – mi è sempre piaciuto quel passo, per quanto riflettendoci sopra mezzo secondo sembra un'emerita cazzata – e ho notato sulla bolletta il piccolo diagramma a barre che mostra i kilowatt al mese, e le prime cinque lettere in fondo erano *J, A, S, O, N*, per July, August, September, October e November – e ho avuto un momento di illuminazione, mentre sbiancavo in faccia: sono tornato di colpo a quel misterioso e inquietante Post-it che Laars aveva visto sulla scrivania di Testa di cavolo, quel famoso appunto che diceva *JASON – DJ, FM/AM?*, ed era firmato – *J*, e ho capito che non era un messaggio in codice di un ignoto *J* ancora tra noi, ma solo un pigro scarabocchio di Testa di cavolo, con le iniziali dei mesi restanti (*DJ* = December, January) appuntate lì senza alcun motivo, se non semplice distrazione, ma poi mi è apparso chiaro, guardando la bolletta, che le barre dei kilowatt erano alte in estate (rispecchiando i costi dell'aria condizionata), poi basse per un po', e adesso che era inverno salivano di nuovo (riscaldamento, più luci) – e mi sono chiesto se questo poteva corrispondere al numero di persone che venivano licenziate, se ogni mese il numero di gente mandata a spasso da Testa di cavolo (su mandato del Corvo) fosse *in qualche modo determinato dalla bolletta dell'elettricità* – e mi è tornato in mente che il Corvo aveva messo delle barre tra le lettere di *JASON*, su quella lavagna bianca a Halloween, e in un lampo ho capito che la mia supposizione era giusta, che stava conducendo un gioco terribile con noi, che avrebbe potuto semplicemente tirare un paio di dadi, ma Testa di cavolo *non aveva la minima idea* che Gramo tirasse fuori le sue cifre in quel modo, lui stava solo eseguendo gli ordini, licenziando chiunque indicasse Gramo (magari presentando perfino qualche rapporto ai californiani riguardo a Jack II e Jenny: non facevano la loro parte, avevano piantato delle grane quando si erano sbarazzati di Maxine); e naturalmente dopo *J, A, S, O* e *N* veniva *D*, dicembre, e a me è venuto il magone, pensando per l'ennesima volta che ti avevo vista per l'ultima volta alla festa di Natale, ovvero la sera prima del tuo licenzia-

mento, e chissà forse sarebbe potuta andare diversamente, io nel mio maglione da gran figo con il fiocco di
neve gigante, come ricorderai, e tu in quell'abito da
cocktail verde che fondamentalmente mi faceva venire
un colpo ogni volta che ti guardavo, ogni volta che ci
pensavo, e mi sono ricordato che eri lì con il Primo Jack,
chi se l'aspettava; così demoralizzante è stata la sua
presenza, e quella che presumevo fosse la tua cotta per
lui e la sua testa pelata che quando una fatina prospe-
rosa (non c'è altra descrizione) ha interrotto i miei pate-
mi d'animo con un allegro *Ehi, fiocco di neve* e mi ha
chiesto cosa stavo bevendo, ho pensato che mi avesse
chiesto cosa stavo *pensando*, e così le ho detto di te,
della tua parlantina, dei tuoi capelli, del tuo sorriso e del
tuo passo deciso, e mentre i suoi occhi si rabbuiavano
ed era sul punto di andarsene, di svanire di nuovo nella
folla, ho deciso di cambiare atteggiamento – mi sono trasformato in un personaggio inedito, l'Affascinante Jonah:
che posso dire, se non che ho vissuto con un voto di castità di default per più tempo di quanto sia umanamente
immaginabile, un arco di tempo che farebbe diventare
Laars verde d'invidia, poi paonazzo per le risate; mi sa
che uno dei *punti principali* a cui voglio arrivare oggi (stasera?) è che ci ho messo un po' a rendermi conto che
quella era la ragazza dell'ascensore, la Donna Orientaleggiante Dall'Accento Inglese, la sua "DODAI"! – la decisamente, anzi no, direi *estremamente* attraente (ma non
quanto Pru) abitante del settimo piano il cui nome umano è Tracy o *Trace* – ed è successo così che, circa un'o-
ra dopo, ci siamo infilati in un taxi e poi ci siamo ritrovati in un bar karaoke, dove insieme ad alcuni dei suoi ge-
niali colleghi, stranamente simili a gnomi, abbiamo af-
frontato il repertorio di una decina di band anni Ottanta,
qualche Bacharach troppo sciropposo e una disgraziata

incursione negli Aerosmith, passando di tanto in tanto il microfono ai membri di una bravissima squadra di pallavolo femminile di Duluth; poi io e Trace ci siamo ritrovati dall'altra parte della città, in centro, sotto casa sua, dove ho saputo (mentre mi *tirava la barba*) che Trace partiva tra una settimana per, chi se lo ricorda, Praga o Parigi (una di quelle fastidiose città con la P) per un mese o un anno o per sempre; e allora io, Jonah, incapace di capire l'antifona, ho detto, *è stato bello conoscerti!*, le ho stretto la mano e poi tutto solo e senza neanche chiederle il numero di telefono o l'indirizzo e-mail (al verde ormai dal karaoke) mi sono ritrovato nella stazione della metro – te l'ho detto *tutto solo*? – e pensare che *quella* è stata l'ultima volta che ti ho visto (abbagliante, scoglionata) ancora mi uccide, mi fa venire voglia di *far tornare indietro il tempo* come canta quella poetessa di Cher, il cui stile vocale è stato imitato ad nauseam quella sera, ma invece è successo questo: ho preso il giorno seguente, venerdì, come giorno di permesso, per far riposare i miei occhi vecchi e stanchi (la mia grande scoperta, forse la scoperta del secolo, è che *nessuno mantiene aggiornati i giorni di permesso*: prima di essere licenziato, Henry dell'Ufficio Personale ha manomesso il programma in modo che vengano archiviati diversamente dai giorni di ferie, e fondamentalmente *mai tabulati*), quando sono tornato al lavoro lunedì, sul tardi, tu eri già andata via, Crease non mi rivolgeva la parola per l'abboccamento con la DODAI, Gramo pareva soddisfatto di qualcosa, Lizzie aveva delle profonde occhiaie da pianto, e quando finalmente ho saputo che ti avevano spedita a casa non sono riuscito a capire perché nessuno *facesse* niente, perché fossero tutti così silenziosi; ricordo che in passato scrivevamo lettere di protesta quando qualcuno veniva licenziato o sospeso, e il più delle volte

Testa di cavolo annuiva e archiviava tutte quelle belle parole o più probabilmente le infilava nel tritadocumenti, e nessuno alludeva più alla faccenda (c'era stata una protesta civile, avevamo confrontato i rispettivi punti di vista e adesso era ora di passare ad altro), ma a un certo punto abbiamo abbandonato perfino quella patetica messinscena – per Jill non l'abbiamo fatta, e il licenziamento congiunto di Jenny e Jack II (per non parlare dell'eliminazione di Maxine) ci ha tagliato definitivamente le gambe: quando Lizzie mi ha detto che *Gramo* ti aveva licenziato, che era uscito dall'ombra e aveva impugnato la scure personalmente, ho capito che era il momento di aprire le ostilità – abbattere il Corvo o farsi abbattere nel tentativo; avevo bisogno di un alleato, ma purtroppo tu eri l'unica che mi veniva in mente per arrivare fino in fondo a questa cosa; ho fatto il giro dell'isolato, ti ho lasciato dei messaggi sul cellulare, ho ponderato la mossa successiva: non potevo ancora affrontare il Corvo – avevo bisogno che *non mi riconoscesse*, che mi vedesse e pensasse *Custode con Barba* – e così ho deciso di sentire cosa aveva da dire Testa di cavolo; ma quando sono tornato in ufficio e ho aperto la sua porta, l'ho trovato sdraiato sulla moquette, che lanciava e afferrava una palla da tennis con una mano, una sigaretta accesa in bocca, con il resto del pacchetto sul petto e un portamatite come posacenere, mentre l'aria invernale dalla finestra aperta spazzava via il fumo e confondeva l'allarme antincendio; mi sono seduto sulla sua poltrona e gli ho chiesto a bruciapelo se credeva veramente che sbarazzarsi di te fosse una mossa intelligente – o soltanto un orribile sbaglio – e lui ha sbuffato un pinnacolo di fumo, ha smesso di lanciare la palla e ha sospirato, *Io non c'entro*, confessando che non era più lui a decidere e al tempo stesso rifiutandosi di rispondere ad altre domande, e allora ho capito che il modo migliore per convincerlo a parlare era non dire niente – l'equivalente di dargli un foglio di carta bianco e chiuderlo a chiave in una stanza (o forse intrappolarlo in ascensore con un portatile e dirgli *Scrivi quello che ti pare*) – e infatti, quando la sigaretta si è spenta, e la palla è rimasta in equilibrio sul palmo della mano, ha detto, *Questa sarà una bella botta* e *Nelle prossime settimane dovremo stringere i denti*, ha detto, *Proviamo a rigirare la frittata* e *Bisogna cercare di essere sulla stessa lunghezza d'onda* – e non si capiva se erano cose che dovevo fare io o lui, ma ho immaginato che questo miscuglio di vaga determinazione fosse un tappeto di benvenuto perché ricominciassi a fare domande mentre lui si accendeva un'altra sigaretta; *Non lo so* era il ritornello ripetuto in tutte le salse – permaloso, offensivo, compassionevole, ma soprattutto esausto – mentre il vento calava e il fumo continuava a salire verso il soffitto e la palla ricominciava ad andare su e giù, e quando ho chiesto se il mio posto era a rischio – se sarei stato sostituito da qualcuno selezionato con cura dai californiani, o se la mia posizione sarebbe stata semplicemente annientata, come era successo a tutti gli altri – lui ha risposto, *Non te lo so dire perché non lo so – Se lo sapessi, te lo direi, oppure se lo sapessi e non te lo potessi dire, ti direi che lo so ma non posso dirlo, ma la verità è che non lo so, e quindi sinceramente non te lo so dire* – avrebbe potuto rigirare la frittata ancora per un po', da bravo Testa di cavolo, ma a quel punto mi sono reso conto che nemmeno lui sarebbe rimasto ancora per molto in ufficio, e stranamente un piccolo tentacolo di dolore ha cominciato a farsi strada dentro di me, e come se sperassi almeno di salvargli la salute, gli ho consigliato con tono da grillo parlante di spegnere la sigaretta, consiglio di cui non ha tenuto conto, comunicandomi invece che quella era la sua prima sigaretta da quasi un anno – aveva smesso perché dopo aver licenziato Jason o forse il Primo Jack (*In pratica siete intercambiabili*, ha detto e io ho riso), ogni volta che usciva fuori per accendersene una, quelli che stavano già nella Repubblica del Tabagistan si affrettavano a schiacciare le sigarette nel portacenere, oppure sotto il piede, ringhiando a malapena un saluto mentre rientravano – le prime volte non c'aveva fatto caso, ma quando se n'è accorto ha voluto dimostrare a se stesso che la fuga era intenzionale, e così ogni volta che ci vedeva muoverci in gruppo verso l'ascensore (*questo* ascensore! *questa* prigione!), per uscire a fumare, scendeva con quello dopo, e osservava come spegnevamo immediatamente le sigarette appena sfilate dal pacchetto e tornavamo di sopra, oppure iniziavamo a vagare in tutte le direzioni, lasciandolo da solo vicino al contenitore a forma di boa con i metri di fumo stagnante che salivano dal buco; e dopo aver raccontato questo commovente aneddoto sembrava più rilassato, si è acceso un'altra sigaretta prima di parlare del "tuo amico Graham" – e levarsi il peso dallo stomaco, credo, raccontandomi come il signor Gordon Graham Knott fosse semplicemente apparso da un giorno all'altro, come se fosse uscito da un incubo, con il suo accento straniero e i vestiti sgualciti e gli occhi gelidi, facendo irruzione nell'ufficio di Testa di cavolo per annunciare che in qualità di CRO, nominato dai californiani per resuscitare l'azienda (dopo il ridicolo e demenziale *pastrocchio* che avevano combinato Testa di cavolo e "K."), essenzialmente da quel momento avrebbe preso le redini della baracca, e stava a Testa di cavolo decidere se voleva restare a bordo e dare una mano ad attuare il progetto oppure farsi da parte immediatamente – Gramo se ne infischiava di cosa sceglieva, ma doveva decidere alla svelta: e così Testa di cavolo (*Tengo famiglia, e tu lo sai che cosa significa, che responsabilità ci sono*) passò la mano a questo sconosciuto per sopravvivere, ma aveva anche coltivato, confessò, una vaga speranza che insieme avrebbero detronizzato "K."; purtroppo, mentre Testa di cavolo sembrava sul punto di rivelare perché ce l'avesse tanto con lei – una cosa che ci chiedevamo tutti da una vita (l'aveva fottuto? avevano fottuto *e basta*?) – è scattato l'allarme antincendio, gli sprinkler si sono attivati e lui è balzato in piedi con una capriola da ginnasta, lanciando la giacca sopra il computer mentre sbraitava a Lizzie di chiamare Bill in manutenzione (ricordo che lei ha gridato sopra il frastuono, *Ma Bill è stato licenziato!*), e io sono scappato con un improvvisa striscia di bagnato lungo un braccio, come se mi fossi tagliato; comunque, dopo quell'incontro penso che Testa di cavolo abbia cominciato *veramente* a sbroccare – lavorava con le tapparelle abbassate e le luci spente, riponeva male le cose, si appiccicava dei Post-it sul taschino della camicia, usciva dal suo antro poi girava i tacchi e tornava dentro, lasciava messaggi incredibili al telefono di casa (*Russell, sono Russell! E pare che mi sia – dimenticato cosa – volevo ricordarti*), metteva tutti i giorni la stessa cravatta – la cravatta del Canada, con le foglie d'acero rosse su sfondo bianco – e la stessa giacca verde acceso e quegli strani pantaloni blu che sembrano jeans ma non lo sono, con una cinta di velcro nero: assomigliava a una cosa che poteva essere stata disegnata con quella penna balorda che ho comprato in Messico, la penna che Gramo mi ha chiesto in prestito una sera mentre ci ingozzavamo di pizza alla diavola alla sua scrivania e mi illustrava un concetto di ristrutturazione particolarmente complicato – hai presente quelle penne bombate, le hai mai usate da bambina? – un po' scomode da tenere, munite di ben *quattro* colori da scegliere, che ti danno la folle flessibilità di scrivere in blu, nero, rosso o verde – uno strumento che usavo regolarmente e con grandi vantaggi: passare da una sfumatura all'altra per distinguere le annotazioni, o trasformare improvvisamente un memorandum in un arcobaleno, con dei rimandi incrociati, espandendo le dimensioni della parola scritta (non sei stata tu a raccontarmi che Faulkner voleva stampare *L'urlo e il furore* in quadricromia? Non è strano che mi ricordi quasi tutto quello che mi hai detto?) e questo è un enorme passo avanti, ma poco dopo la dipartita di Gramo (che ti racconterò senza risparmiare i dettagli più cruenti, lo giuro – aspetta e vedrai) sono passato a vedere se la penna era ancora lì: l'ho trovata sotto la sua scrivania, incastrata nella spirale di un taccuino malridotto con la copertina tutta nera, che mi ha incuriosito – per quello che potevo giudicare, era una specie di compendio fatto in casa, che raccoglieva perle di saggezza tratte da un vasto assortimento di libri di economia e finanza, titoli che non si erano mai sentiti (*Soldi ce n'è ancora?*, *Un addetto ai lavori pensa fuori dagli schemi* eccetera); il mio preferito era un passo di *Ernie e Bert in consiglio d'amministrazione*, che fondamentalmente suddivide l'umanità in *Ernie* allegri e caciaroni e *Bert* ansiogeni e rompicoglioni (io credo di essere un po' tutti e due – l'autore mi definirebbe un *Ert* – e *questo* documento, buttato giù nel buio digitale con la vescica piena e troppe idee, sembra una collisione tra Ernie e Bert: una parte di me non può aspettare, ha bisogno di gridare tutto quello che so e che sento in un'unica enorme frase, ma un'altra parte si sta dando da fare perché tutto si tenga – destreggiarsi tra la punteggiatura, assicurarsi che la grammatica scorra bene, che le virgole e i trattini abbiano il giusto peso, che anche se l'argomento varia e la forma si fa indistinta, non mi arrenda all'entropia dei frammenti – perché ho bisogno di scrivere adesso, o non lo scriverò *mai*, ecco, e che senso avrebbe mandarti cento paragrafi sconnessi, strofe frantumate di sventure e lamentele?) – ma in verità la maggior parte delle citazioni di quel taccuino erano insulse, persino contraddittorie, e scritte in una tonalità quasi illeggibile di penna arancione scarica, come un inchiostro estratto dal succo di frutta; le ultime annotazioni, curiosamente, erano scritte usando le cartucce della mia quadricolor messicana (blu seguito da nero seguito da rosso seguito da verde, in rigorosa rotazione bertiana), con una mano chiaramente diversa, tutti angoli affilati come un rasoio; mi sono reso lentamente conto che le ultime cinque pagine di quelle spigolature di economia doveva averle scritte Gramo: comandi di computer (*Ritorna alla versione salvata*) alternati a luoghi comuni del recente passato (*L'uomo che compra la lepre riesce a farsi un cappello di pelliccia*), periodicamente sovrapposti al titolo di un libro che continuava a cambiare, da *Il manuale dell'idraulico* a CRO: *Memorie di un idraulico britannico* a *Fare a polpette: Le cinque regole essenziali di un grande macellaio per ristrutturare* a *Ventriloquio aziendale*, eppure sembrava fondamentalmente lo stesso, come se aggiungendo i suoi pensieri a quelli già presenti nel taccuino – che ho cominciato a chiamare il *Taccuino del potere* – il Corvo potesse confermare il suo status leggendario, o dare enfasi alla saga di un tizio passato dalle stalle alle stelle; i miei pensieri sono stati interrotti dall'Innominabile (che, tra parentesi, era diventato *ancora più strano* da quando ti hanno licenziato: sguardo vitreo, mormorio più forte e più triste e più spaventoso) e in quell'angolo desolato dell'ufficio, a quell'ora tarda, era libero dai formalismi che esigeva la giornata di lavoro; si è *avventato* contro di me, Pru, intenzionato chissà per quale motivo ad agguantare il taccuino; quando mi sono divincolato, la copertina nera gli è rimasta tra le mani, staccata di netto, e ha cominciato a girarmi la testa: sono inciampato all'indietro, barcollando intorno al cubicolo vuoto, stringendo ancora il taccuino senza copertina, che ho arrotolato a tubo e infilato sotto il braccio come un giocatore di football mentre ruotavo sulla destra, gli lanciavo la sedia addosso e mi fiondavo nel corridoio, saltando per l'adrenalina, la colonna sonora di un poliziesco anni Settanta che mi risuonava nella testa mentre lui si lamentava (*hhhHHH!*), tenendosi uno stinco: era assurdo e spaventoso al tempo stesso – sentivo il suono dei passi zoppicanti ma ugualmente rapidi alle mie spalle e l'Innominabile lanciato all'inseguimento, così dopo aver raggiunto un angolo, ho spalancato la porta delle scale facendo più rumore possibile, aggiungendo qualche passo falso, a volume decrescente, per fargli credere che stessi schizzando su (anche se mi chiedo, nella mia cecità: ma lui era *sordo*?); poi sono arrivato in punta di piedi all'angolo successivo, in attesa che abboccasse all'esca e s'infilasse, ansimante, in quello stretto pertugio, prima di dirigermi verso l'ascensore con la mia penna messicana a quattro colori e il *Taccuino del potere*, che ho portato a casa e ho letto tutto d'un fiato, e nel momento in cui l'ho finito, tutti quei mantra venali e quegli aforismi sulla leadership cominciavano a schiacciarmi – mi sentivo in debito di fiato, astioso, inguaribile, prossimo alle *lacrime*, Pru, perché qualcosa di vergognoso e straziante stava riaffiorando di colpo, fendendo la nebbia del rimosso: in apparenza era solo che una parte di me – la parte "di successo", la parte che vede il futuro sempre roseo, ovvero la parte *falsa* – voleva scrivere un paio di regolette personali su quelle pagine, due cose che raramente mi ripeto ma che semplicemente *co-nosco* e rispetto, in ogni momento – due regole che mio padre mi ha tramandato in tenera età: (1) Mai farti beccare che sbadigli; e (2) Mai dire *Mi dispiace*; la prima regola è fondamentale perché uno sbadiglio fa capire che gli altri ti stanno annoiando – essenzialmente, trasmetti la tua indifferenza, e ben presto, senza nemmeno rendertene conto, ti odieranno perché li fai sentire noiosi, e anche se sono affascinanti come lo spot di un dentifricio, non dovresti mai lasciar intendere, anche in maniera inconscia, che è così (in verità mi trovo nell'impossibile condizione di dovermi disfare di un altro dipendente la prossima settimana – e mi sa che toccherà a Laars, che dà fiato alla bocca un po' troppo liberamente negli ultimi tempi); la seconda regola, per certi versi opposta (in quanto nega invece di sopire), non mi è mai stata spiegata adeguatamente, anche se adesso capisco che si tratta di una tattica per guadagnare un impercettibile vantaggio psicologico, trovando altre frasi socialmente accettabili per esprimere rammarico o solidarietà senza accollarsi neanche quella piccola, quasi insignificante, dose di responsabilità impacchettata in quelle due parole, *Mi dispiace*: la cosa strana è che avrei dovuto dar retta a quello che diceva mio padre, anzi, avrei dovuto prendere queste ridicole *lezioncine di vita* e interiorizzarle fino a tal punto (ma i genitori si rendono conto che anche un commento casuale può vivere nei figli per *anni?*) e distorcerle in *regole per andare avanti*, arbitrarie quanto le massime annotate nel *Taccuino del potere*; mio padre era intelligente, gentile, raffinato – ma per quanto concerne i soldi era un po' sfigato, ci pensava più di quanto ammettesse, pur mancandogli completamente persino quella cattiveria di base che poteva aiutarlo a raggiungere i suoi modesti obiettivi economici: insegnava francese in una scuola privata nei dintorni di Baltimora, una scuola con un blasone impressionante e una reputazione esagerata, che ho potuto frequentare perché lui faceva parte del corpo docente – la retta gratuita era l'unico beneficio significativo che avevano gli insegnanti (posto che procreassero); gli stipendi erano clamorosamente bassi, e così tre volte alla settimana vedevo mio padre togliersi la cravatta e appendere il blazer alla fine dell'orario di insegnamento e andava in auto in un grande negozio di calzature sportive, chiamato Sporticello, dove indossava una pettorina di poliestere verde bottiglia e si trasformava nel commesso meno efficiente del ventesimo secolo: non azzeccava mai la misura giusta, non invogliava mai i potenziali clienti ad acquistare un paio di scarpe, e in diverse occasioni (a volte andavo con lui, fingendo di fare i compiti in magazzino a un tavolo coperto di cartellini con i prezzi, ma in realtà ascoltando, ascoltando) diceva con aria enigmatica cose crudeli tipo: *Se crede che un paio di scarpe da ginnastica possano cambiarla, allora forse è vero*, spesso dando anche pareri sulle aziende sfruttatrici da cui provenivano dette calzature – non tanto per esprimere un'opinione politica o per arricchire la vita interiore del cliente, ma perché aveva il cervello talmente spappolato dalla noia, ed era *umiliato* di essere così annoiato, di essere sprofondato in abissi così prosaici – spinto dalle circostanze, forse, a intraprendere il più anonimo dei lavori, ma *costretto* a farlo soltanto da quello che doveva considerare un cedimento caratteriale, una mancanza di grinta, coraggio, palle – un lavoro dove sei continuamente a contatto con la parte del corpo umano più vicina al suolo, sede di calli, duroni e cattivi odori, e devi anche *simulare competenza in materia*; ma certi giorni, e poi certi anni, era troppo atroce pensare a lui che si to-

glieva la veste di vecchio saggio che indossava per co-
niugare *pouvoir* o quello che era e mettere quella squallida maglia con pettorina, con una parte della mente che
programmava all'infinito il libro che aveva sempre voluto scrivere su Baudelaire (questa è una bugia di comodo: in realtà voleva concentrarsi su un *conoscente di
Baudelaire*, noto a malapena agli studiosi interessati, e
che adesso mi sfugge), e l'altra parte che infilava ai piedi della gente scarpe da ginnastica dall'aria fantascien-
tifica – era una totale scissione tra corpo e mente, tra alto e basso; quando Sporticello chiuse definitivamente i
battenti, la chiusura fu talmente rapida che non ebbe
neanche il tempo di sfilarsi la pettorina, e la indossò fino
a casa, dove rimase in fondo all'armadio per una vita;
ogni tanto diceva che doveva sbarazzarsene, ma in un
modo o nell'altro quella maglia verde restava lì; col passare degli anni cominciò a vergognarsi di averla ancora,
ma per assurdo era anche orgoglioso di essere stato,
per dirla con le sue parole, il *peggior commesso nella
storia del negozio, se non negli annali delle calzature
sportive*, e attraverso il tam-tam della scuola venni a sapere che in effetti aveva mandato via alcuni clienti senza neanche aprire bocca: ogni tanto uno studente andava a comprare le scarpe da ginnastica e incontrava il
prof di francese, e il solo pensiero di discutere di suole e
stringhe con uno che avrebbe valutato i suoi test sulla
competenza lessicale era così inquietante che l'alunno
quasi si smaterializzava, anche se ovviamente alcuni ragazzi – questi sì, dei vincenti – si stravaccavano con un
sorriso compiaciuto, allegramente indecisi, e spedivano
mio padre in magazzino a cercare una scatola dopo l'altra, con le ascelle chiazzate di sudore, mentre i miei
compagni di classe si godevano quella tortura sociale
che potevano infliggere; quando il negozio fallì, mio pa-

dre decise, *Adesso scriverò il mio libro*, e trasformò il seminterrato in un bunker di scrittura, dove appiccicava appunti alle pareti di cemento, spostando via via tutti i testi pertinenti dalle stanze di sopra alla semplice scaffalatura di legno nel sottoscala, lucidando con cura la Shalimar, quel carrarmato di macchina da scrivere in ottone lucente, rinnovando le scorte di quei caratteristici nastri al profumo di rosa, passando quelle che sembravano ore e ore a temperare una faretra di matite, a sgombrare la scrivania per concentrarsi mentre mia madre gli portava una tazza di tè e una sigaretta ogni due ore, che gli permetteva di finire soltanto a metà; ma il suo impiego diurno lo logorava troppo – non era roba da cervelloni, come si dice, si trattava di insegnare francese alle superiori, ma non era il genere d'uomo che poteva fare lezione meccanicamente, e le funzioni facoltative che ogni insegnante di quella scuola piuttosto esclusiva, quella scuola con ambizioni apparentemente baronali, doveva accollarsi – sorvegliare un tavolo di studenti in mensa, controllare le aule di studio, consigliare ai più ricalcitranti di allenarsi con le squadre sportive (o nel suo caso, *gestirle*, ma che diavolo significava: riempire le bottiglie d'acqua?) – avevano tutte un effetto deleterio sul tempo dedicato al libro, quel libro sull'amico o mezzo amico o semiconoscente comunque dimenticato di Baudelaire, questo essere insignificante di cui mio padre (lo ricordo adesso) neanche mi diceva il nome, quasi a proteggermi dalla maledizione che gli era stata scagliata contro (anche se mi chiedo, era un uomo o una donna: una prostituta, forse?), e ricordo che nei mesi dopo aver perso il lavoro al negozio di scarpe, ripeteva spesso, *Devo solo arrivare all'estate*, nel senso che doveva soltanto continuare a lavorare al libro fino alla lunga pausa estiva, quando avrebbe avuto l'energia per dedicarsi al progetto da mane a sera, o fino a tarda notte, a seconda dell'orario che funzionava meglio di giorno in giorno – ma quella si rivelò l'estate più calda mai registrata, e l'indolenza prese piede mentre i ventilatori giravano vorticosamente, e arrivati al Giorno del Ringraziamento ormai aveva perso ogni speranza; la scrittura andava malissimo – anzi, andava a singhiozzo; l'unica cosa che poteva mostrare era il suo viso scavato, l'umore nero, una pancia allucinante, una tosse tubercolotica; l'altra cosa brutta, o anche peggio, era che i soldi dell'insegnamento da soli non bastavano – perfino io mi accorgevo che i vestiti sembravano sciupati e, pur sapendo che non avrei dovuto aprire bocca, mi lamentai prima con mia madre e poi con mio padre, con delle frignate venute dal nulla, che sorpresero me e i miei genitori – si sarebbero sconvolti di meno se avessi estratto una pistola e sparato contro le finestre della casa, a una a una, dall'altra parte della strada; quel sabato scesi nel seminterrato per salutarlo e chiedergli scusa, aspettandomi di vederlo sfogliare gli appunti e temperare le matite, e mi accorsi che non c'era carta alle pareti, solo una pila ordinata sulla scrivania, una ventina di pagine fermate da un vecchio mattone, un fazzoletto logoro copriva la macchina da scrivere; non avevo il coraggio di leggere quello che aveva scritto, chissà perché immaginavo che sarebbe stato un elenco dei miei peccati e delle mie manchevolezze; quando ritornai di sopra mia madre mi spiegò che era tornato al negozio, o meglio, all'attività che aveva rilevato lo spazio – un drugstore dalle corsie infinite, illuminato in modo accecante – e aveva trovato lavoro lì, pagato meglio di quello delle scarpe; sulle prime ebbi la folle idea che si stesse preparando in segreto per diventare farmacista, riuscendo a trovare il tempo di infilarsi in un corso extra tra l'insegnamento, la vendita delle scarpe e la scrittura; ma purtroppo, faceva il custode, il *custode*, il che significava che doveva lavorare sabato e domenica mattina, e durante la settimana tornava a casa da scuola e guardava il telegiornale mentre cenava e poi correggeva i compiti per un'ora, prima che mia madre lo accompagnasse al negozio alle nove, mentre l'ultimo cliente veniva messo alla porta, e lui si metteva a lavare i pavimenti, pulire i cessi e raccogliere l'immondizia fino alla mezzanotte, quando la mamma tornava a prenderlo e lo riportava a casa; il primo giorno mi portò un regalo dal negozio *Tutto a 99 centesimi* che occupava la stessa piazza del drugstore: una tazza con il mio nome – solo che non era il mio nome perché, spiegò, avevano finito tutti i *Jonah*, e lui sapeva che non gradivo quando la gente pronunciava o scriveva male il mio nome confondendolo con *John*, e così aveva scelto *Joan*, il che mi fece ridere, e mi dimenticai momentaneamente del suo nuovo lavoro e del suo nuovo odore nauseante, una marinata di acqua sporca e sudore – invece versai un po' di succo d'arancia nella mia spassosa tazza nuova e silenziosamente strinsi un giuramento con me stesso, continuando a sorridere: non avrei mai seguito quella strada, la *sua* strada – avrei resistito a ogni tentazione di *aiutare gli altri* o *promuovere la conoscenza*, non avrei mai insegnato niente a nessuno, rifiutato in toto la squallida esistenza che mio padre si era ritagliato per sé, e in cui eravamo incastrati io e mia madre: non volevamo criticarlo, e al tempo stesso dovevamo sciropparci i suoi tormenti, la sua dignitosa disperazione, ed era insopportabile – eppure, ancora mi ricordo di non sbadigliare, e non dico mai *Mi dispiace*, e si dà il caso che queste ferree regole di comportamento mi siano tornate molto utili (anche se forse gli attribuisco troppo merito, in fondo sono un sentimentale) – questo è un modo indiretto per dire che quando le circostanze lo impongono, posso diventare una macchina, addirittura un mostro – e qui arriviamo al clou, mia cara Pru: il giorno in cui ho scoperto che eri stata licenziata – che Gramo ti aveva *cancellata* – ho deciso di andare più a fondo, di colpire più in basso, di ripensare a tutto quello che era successo in ufficio negli ultimi anni; nei miei giorni di permesso, non restavo a casa ma arrivavo all'alba e mi sedevo alla mia scrivania, con la porta chiusa e le luci spente, sorseggiando una tazza di caffè grossa quanto un vaso da fiori e tracciando a matita astrusi diagrammi, a volte con tanta forza che la punta si spezzava, e ho passato così quasi tutto il resto dell'inverno; uno di questi giorni in cui c'ero ma non c'ero, immerso in attività inutili e gesti effimeri, ho urlato dentro/contro me stesso, DACCI DENTRO, JONAH!, e con un cupo ronzio si è aperto un documento sullo schermo del computer, e si è materializzato un ACCIDENTI, SEI BONA! in Times New Roman 18; ammutolito, ci ho messo un minuto buono a rendermi conto che quel computer di merda era ancora fornito di una vecchia versione di quel software per il riconoscimento vocale, Glottis, che Bernhard (il tecnico informatico che aveva preceduto Big Sal, durato una ventina di secondi) mi aveva installato, al culmine del mio dolore al tunnel carpale, nei tempi lupi (scusa, *cupi*) in cui i polsi si irrigidivano rabbiosamente ancor prima di aprire la porta dell'ufficio, e anche se non ho mai avuto la pazienza di "ammaestrarlo" – le mie parole uscivano sempre alterate (*Jonah* veniva reso regolarmente come *Joan*, *aah* e *Joaner* e qualche volta *scio nà*) – non mi sono mai preso la briga di far disinstallare il programma; nella foga di quella mattina devo aver accidentalmente premuto uno dei mistici tasti "funzione" sulla parte alta della tastiera, sopra Cancella, e attivato Glottis, che ha interpretato il mio *cri de coeur*,

DACCI DENTRO, JONAH!, come il più allegro ACCIDENTI, SEI BONA! – questo naturalmente ha portato a ore e ore di sperimentazione, un gradito (anche se troppo anticipato) momento di tregua dalle mie macchinazioni; le mie vertigini aumentavano man mano che le mie affermazioni scatenavano una ridda di frasi dadaiste, che conducevano a tetre *pensées* d'ogni sorta sull'inadeguatezza delle parole, l'impossibilità di comunicare e via dicendo, però continuavo a ruota libera e quando ho fatto un commento su una persona (vabbè, *tu*) che aveva una predilezione per le *camicie di seta pura*, deve aver capito ESEGUIRE CHIUSURA, perché è saltata fuori una finestra e ha chiesto, con tono un po' untuoso, *Vuoi salvare il documento "Accidenti, sei bona"?*, titolo di default derivato dalle prime due parole – ripensandoci, se avessi cliccato *No*, la mia vita adesso sarebbe diversa: dopo aver scelto di conservare il file nonsense, l'ho visto trasformarsi in un'iconcina dentro una enorme cartella sul server denominata GLOTTIS, alla quale il mio portatile era chissà come connessa e che adesso si era aperta sul mio schermo; mi sono messo a studiare i contenuti, senza sapere bene cosa cercare – forse solo i miei vecchi tentativi di composizione orale dimenticati da tempo, prove di corrispondenza rapidamente deragliate – e mentre scorrevo in fretta i nomi dei vari file, mi ha investito una strana sensazione: era impossibile che io avessi scritto, o dettato, *così tanti* documenti, durante il mio breve uso di Glottis; circa un terzo dei nomi ricordavano le incomprensibili frasi di copertura con cui i piazzisti di spam s'infiltrano nelle caselle di posta elettronica (*django heartbreak liter* e *steakhouse wurlitzer divot*), mentre il resto erano semplicemente date – date che non corrispondevano al mio precedente utilizzo di Glottis, né al periodo in cui l'aveva usato Jules (quindi erano tutti ab-

bastanza recenti, creati negli ultimi tre o quattro mesi) –
e poi improvvisamente ho capito: quei documenti erano
opera di *Gramo*, l'unica persona dell'ufficio che in quel
momento usava il software vocale – Big Sal non si era
mai preso la briga di creare una cartella privata per lui,
non pensando che qualcun altro usasse Glottis; e pur
non provando alcun rimorso a leggere i suoi documenti
privati, ho avuto il timore che Gramo potesse provare ad
accedere a uno dei file e capire che era già in uso, e così ho aperto un file doc intitolato MALEDETTI COLLETTI – che
immaginavo fosse una bozza della sceneggiatura di Jules, quella che aveva scritto sotto dettatura; ma quando
ho ciccato due volte, non mi è parso da Jules lasciare
segni del suo passaggio (dopo ogni pranzo si assicurava
che tutte le molliche fossero ordinatamente racchiuse in
un tovagliolo, asciugava le gocce, una volta l'ho visto
persino raccogliere le briciole dal *pavimento*), e quando
il documento si è aperto ho capito subito che si trattava
di tutt'altra cosa, qualcosa che non nasceva dalle mani
(o dalla bocca) di Jules, un enorme blocco di testo da far
diventare matti, che iniziava (ho imparato a memoria la
prima frase – vorrei poter fare un copia e incolla tutto per
te): *Maledetti colletti qui, nell'afasia che inali per l'azione
che già sogno, se conto hippy e nani* – adesso quello
che devi fare è leggere *fase finale* al posto di "*afasia che
inali*", *Operazione* JASON al posto di "*per l'azione che già
sogno*", *secondo i piani* al posto di "*se conto hippy e nani*": questo ti dà l'idea di cosa ho dovuto passare, deco-
dificando pagine e pagine di parole riconosciute male;
era evidente, fin da quella prima frase, che non stavo affatto leggendo la sceneggiatura di Jules, ma una specie
di diario in codice, un giornale di guerra, tenuto da Gramo, il nostro Corvo interno; il titolo del file veniva dalle
prime due parole, *Idioletti violenti*, che Glottis aveva con-

fuso con "Maledetti colletti" – ed è stata questa scoperta a sconvolgermi: Jules aveva detto mesi prima, al suo ristorante, di aver trovato il titolo per la sceneggiatura, *Maledetti colletti*, perché era il nomignolo storpiato di una persona che conosceva, il che significava – giusto? – che conosceva Gramo, che in un modo o nell'altro lo aveva già incontrato, lo conosceva con un altro nome – come sai, è molto difficile parlare con Jules ultimamente, impegnato con i suoi ristoranti, spiccica a stento due parole, ma quella sera sono riuscito a rintracciarlo in uno dei suoi locali – il Demagogue, il bar a tema politico sulla Sessantanovesima – l'ho fatto accomodare sul retro, bloccando la porta con una sedia, e mi sono rifiutato di farlo uscire finché non sputava il vero nome di Gramo (come cavolo si era trasformato in "Maledetti colletti"?), cacciandogli sotto il naso una stampa del documento Glottis; Jules non sembrava intenzionato a vuotare il sacco, e ho temuto che saremmo rimasti lì per ore, a guardarci in cagnesco, e che avrei dovuto cominciare a schiaffeggiarlo con la cartellina appoggiata sul tavolo; alla fine ho detto: «Eddai, Jules: fallo per Pru», e quando ha chiesto cosa stavi facendo («Abbigliamento pré-maman? Si è messa a fare la sarta?»), ha cominciato a svelare la storia: negli ultimi mesi, dopo un drastico taglio allo stipendio, Jules aveva dato un'occhiata a quel sito di Occupazione Parallela (ricordi quello spot assurdo?) in cerca di qualche soldo in più per arrivare a fine mese – era una cosa deprimente, ha detto, perché si era reso conto che non aveva competenze a parte scrivere trenta parole non molto affidabili al minuto; però aveva bisogno di soldi, e aveva trovato un secondo lavoretto come custode nella toilette di un nightclub, e siccome in quel ruolo si era distinto, il proprietario lo aveva trasferito, con un bell'aumento di stipendio, al Vlad's, un locale per adulti sull'Undicesima Avenue, dove Jules svolgeva la tripla funzione di posteggiatore, imbonitore e custode delle toilette (c'era portato, a quanto sembrava); in più, di tanto in tanto, dava una sbirciatina nelle darkroom, dove volteggiamenti strategici e palpeggiamenti spinti facevano parte del menu, ma i contatti più intimi, per non infrangere la legge locale e statale, dovevano essere smorzati con una bussatina sullo stipite della porta, un tamburellamento d'avvertimento che doveva essere istantaneamente riconosciuto come tale – le nuove competenze in rapida espansione di Jules comprendevano una brusca rullata di nocche che richiamava all'ordine il cliente ebbro di sensazioni, senza strapparlo troppo al suo mondo di fantasia: questo ovviamente non era l'aspetto più piacevole del lavoro, in alcuni casi il trasgressore lo ignorava, e occorrevano ulteriori e più sonore bussate di avvertimento e, se l'inadempienza continuava, la pronta convocazione di uno dei nerboruti addetti alla vigilanza, che s'incazzavano di brutto se li distraevi dal sudoku; ogni tanto scoppiava il caos, e anche qualche piccola rissa, ma Jules non aveva mai corso rischi, e dopo qualche settimana aveva incominciato ad apprezzare altri aspetti del lavoro; le donne erano gentili, quasi sempre; i clienti abituali lasciavano mance generose, quando passava asciugamano e colluttorio; come posteggiatore, aveva conosciuto bene alcuni di loro quando uscivano per le frequenti pause sigaretta, parlando del più e del meno mentre il traffico diretto a nord sfrecciava lì davanti, uomini di tutte le età, alcuni appena usciti dalla scuola aziendale, altri coriacei veterani, drittoni con i capelli bianchi – e di lì a poco alcuni di questi habitué, tra una sigaretta e l'altra, lo incoraggiarono a mettersi in proprio, e alla fine avrebbero investito nella sua prima impresa, quel ristorante col tostapane (Balustrade? Cellophane? Tenement?) – questo era tutto molto interessante, ma avevo bisogno che venisse al punto: con un sospirone ha detto, *Lo faccio solo per Pru*, e giù a raccontarmi ancora di quelle camere del piacere private, e di cosa succedeva dentro, ci puoi arrivare da sola, ma di tanto in tanto, *Be', c'era questo tipo*, di mezza età, che guidava un SUV ben tenuto ma con una forte puzza di *chiuso*, che quando dovevi parcheggiarlo ti entrava nei polmoni, e il capo di Jules (un uomo malinconico e ben piantato di nome Duke, che chiamava tutti Asso o Comandante) gli disse, *Quello tienilo d'occhio, asso – di solito fila dritto ma ogni tanto sgarra* – il tipo andava al Vlad's due o tre sere alla settimana da più di un anno, non beveva mai niente più forte di una Seven Up, non sembrava mai fatto, di solito si limitava a guardare il palco principale, ma ogni due o tre mesi prendeva una stanza, e a volte succedeva qualcosa, una cosa diversa ogni volta – Duke era arrivato quasi al punto di vietargli l'accesso, ma sperava che avesse imparato la lezione; poi una sera mentre Jules faceva il giro fu costretto a dare la solita bussatina d'avvertimento, non perché ci fossero contatti eccessivamente osceni, ma perché c'era il tipo che stava *strozzando* la ragazza; e due sere dopo un'altra ragazza *che strozzava il tipo*; arrivò Duke e minacciò di buttarlo fuori dal locale; la settimana dopo, quel tipo e un'altra ragazza ancora si stavano *strozzando a vicenda* – tutte queste permutazioni necessariamente sistemate in contanti in precedenza: stavolta stavano boccheggiando, stretti in un orribile abbraccio mortale, gli occhi fuori dalle orbite come chicchi d'uva, i corpi che si agitavano scompostamente, i pochi oggetti della stanza finiti per terra e fracassati dal loro incontrollabile calpestio – Jules entrò come una furia tentando di staccare l'uomo dalla ragazza (Vera, una con cui usciva, nono-

stante le raccomandazioni di Duke); quando due buttafuori erano riusciti a staccarla (era in lacrime e anche se
c'era poca luce si vedeva che era bianca come un cencio) e a sedersi sulle gambe del tipo, Jules andò a cercare il SUV del tizio, che aveva avuto il dispiacere di par-
cheggiare poco prima, e lasciò un lungo graffio di chiave su una fiancata, poi sull'altra, poi su tutto il cofano,
senza lasciare mai che la chiave si staccasse dalla superficie, anche mentre la spostava sul vetro, e poi si mise a correre nel parcheggio per sfogarsi, mulinando i pugni; dieci minuti dopo, il tipo uscì dal Vlad's per fumare,
con la faccia più tranquilla e leggermente meno paonazza, e offrì a Jules un sigaro e un *Senza rancore?*, che
Jules, con sua stessa sorpresa, accettò, accorgendosi
appena accese il sigaro che il posteggiatore di turno doveva essere in pausa, perché si trovava tutto solo in
compagnia del tizio con cui aveva appena lottato corpo
a corpo, l'uomo che aveva appena partecipato a un piccolo corso di soffocamento reciproco con la sua semira-
gazza (Vera era la copia sputata di Maxine, aveva aggiunto Jules), e benché il tipo non fosse un culturista,
aveva dimostrato un'energia impressionante, una volontà immensa di provare a cambiare i connotati ai suoi
aggressori; prevalse l'autoconservazione, su quello
spiazzo desolato, e Jules si presentò e gli strinse la mano, al che l'uomo disse, *Mi chiamo Benedetto Coletti, ma
chiamami Benny se vuoi*; Benny domandò come era finito a lavorare in quello stripclub, e Jules gli spiegò che
non tirava su abbastanza col suo impiego d'ufficio e così aveva trovato lavoro in un nightclub tramite occupa-
zioneparallela-punto-com (*mi sembrava di stare in uno
spot*, ha confessato Jules), e via dicendo, e Benny non
capiva cosa volesse dire finché non si ricordò il motto di
Occupazione Parallela – canticchiando il jingle finché

non trovò le parole, *Nulla si crea nulla si distrugge!* (risate); ma quando Jules domandò a Benny che mestiere facesse *lui*, quello ammutolì e calò un silenzio imbarazzato finché non finirono i sigari; Benny disse che era quasi ora di andare e si scusò per la scazzottata; siccome l'altro posteggiatore non si era fatto vivo, Jules andò nervosamente a prendere il veicolo appena vandalizzato e gli augurò la buonanotte, pentendosi con tutto il cuore di averlo graffiato, ascoltò Benny fischiettare di nuovo il jingle di Occupazione Parallela mentre si allontanava, e nei giorni seguenti attese gli sviluppi della faccenda, perdendo l'appetito, mentre nei suoi pensieri si insinuavano con allarmante frequenza note sulle sue ultime volontà e sul testamento; proprio quando pensava di essere fuori pericolo e di avere ancora un futuro su questa terra, fu accolto al club dalla notizia che un certo "Mr Coletti" era passato poco prima e aveva lasciato un messaggio: il succo era che sapeva cosa aveva fatto Jules alla sua macchina, e la prossima volta che lo vedeva lo avrebbe *strozzato* – Jules mollò il lavoro quella sera stessa, pensò di trovarsi qualche altra occupazione parallela sul sito di Occupazione Parallela, o tramite l'agenzia interinale a cui si era rivolto appena arrivato in città, e nel frattempo continuare a rifinire la sceneggiatura – dettare nuovi dialoghi, rivedere la scena della rapina – e quando scoprì che gli serviva il nome per un cattivo, gli venne in mente Benedetto Coletti, che Glottis trasformò subito in "Maledetti colletti", un titolo perfetto: soprattutto, Jules era sollevato di non essere più al Vlad's, stupito persino di aver lavorato lì per tutto quel tempo – era sicuro di essere impazzito per un breve periodo, sicuramente, e decise di darsi una regolata, smettere di bere (la mattina, specialmente), elaborare un *business plan* per il ristorante con tostapane che aveva sempre sognato, andare più spesso in palestra (o almeno *una vol-ta*) – aveva fiducia in se stesso, fiducia nel futuro; e così avvenne che un venerdì, poco dopo la sua fuga dal mondo dei club, mentre puntava verso l'ascensore per salire al sesto piano, Jules vide una figura che si muoveva nella direzione opposta, e gli si gelò il sangue: *Benedetto Coletti* – !! – la faccia era la stessa, un po' più pallida, le sopracciglia sfoltite (forse), i capelli più corti – e Jules cominciò a palpitare per reazione fisiologica davanti al pericolo; stordito, tossì per attirare l'attenzione di Coletti, ma quando l'uomo si voltò, disse soltanto *Salve*, con un cordiale accento inglese (sulle prime Jules pensava che avesse detto *Salvo*), e Jules biascicò quella che probabilmente sembrò una battuta da rimorchio (*Non ci siamo già visti da qualche parte?*), perdendo il contatto con la realtà, perché sebbene il nuovo inquilino della Siberia *assomigliasse* a Benedetto Coletti, si presentò con fare mellifluo come Graham: però, mentre si allontanava, si mise a fischiettare il motivetto di Occupazione Parallela, *Nulla si crea nulla si distrugge*, quell'orecchiabile peana al circolo vizioso dell'occupazione e della disoccupazione (che a rigor di termini non aveva molto senso ma che presumibilmente sfruttava la fiducia residua della gente nel karma), una melodia che rimase in testa a Jules per tutto il weekend e il lunedì seguente, quando si avventurò in Siberia col cuore in gola, cercando Benny/Graham, e trovò in un cubicolo illuminato a giorno cose che, avrebbe giurato, prima non c'erano: una montagna di carta spiegazzata guarnita di nuovi elastici rossi, una tazza di caffè con dentro una serie di cerchi concentrici, come gli anelli nel tronco di un albero, che studiò come se potesse offrire indizi sull'ultima volta che un uomo aveva bevuto da lì, un lasso di tempo su cui lavorare; ma non c'era nessuno nei paraggi, i Grandi Licenziamenti avevano mietuto parecchie vittime lassù, e il piano restò vuoto tutto il pomeriggio, così si mise seduto alla scrivania, aspettando un'esplosione di violenza, una fucilata, un'improvvisa forbiciata al cuore; nelle settimane seguenti si ridusse a una larva, capace di lavorare anche meno di prima – una cosa che persino Jules avrebbe ritenuto impossibile – e quando Testa di cavolo inaspettatamente lo licenziò un mese dopo, in cuor suo si sentì sollevato; Jules terminò il racconto dicendosi convinto, all'inizio, che Benny lo avesse rintracciato fino in ufficio, ma ormai si chiedeva se non fosse tutta una coincidenza – magari durante un giro in macchina, su quel SUV grosso quanto una casa e tutto graffiato, aveva riconosciuto il nostro edificio grazie al suo ruolo di primo piano in quel vecchio spot di Occupazione Parallela (con tutti quegli sciattoni disoccupati sul nastro trasportatore) e aveva deciso di trovare un lavoro *lì*; la sua motivazione per Jules rimaneva un mistero, finché non gli ho detto che *Gramo* (come lo conoscevamo noi) aveva fatto finta di essere uno di noi, un'illusione che aveva retto per tutti tranne che per me, da quella sera di ottobre in cui avevo scoperto che stava lavorando come consulente esterno, in qualità di CRO (Jules ha annuito, perfettamente a suo agio con gli acronimi del mondo aziendale) assunto dai californiani per ridurre drasticamente i costi e licenziare gente facendosi scudo con Testa di cavolo, Maxine e "K."; ma dopo aver inseguito Gordon Graham Knott per diversi mesi, cominciavo a chiedermi chi fosse davvero Gramo – se non fosse nemmeno *Knott*, il celebre responsabile di ristrutturazioni aziendali, il Corvo affamato, ma tutt'altra persona; raccontai a Jules come, quando avevo aperto inavvertitamente quel documento di Glottis, *Maledetti colletti*, avevo capito subito che si trattava di qualcun altro, qualcuno il cui nome *sembrava* "Maledetti colletti": adesso che sapevo che era Benedetto Coletti, ma il mistero s'infittiva – chi era Benedetto Coletti, e perché aveva assunto l'identità di Gordon Graham Knott (un autentico CRO, il cui nome salta fuori regolarmente sulle riviste di settore)?: benché Jules fosse impegnato con i suoi vari ristoranti e bar, ha accettato di aiutarmi a raccogliere informazioni sul nostro subdolo intruso, tornando persino al Vlad's e interrogando ballerine e buttafuori, prendendo il numero di targa dal registro dei posteggiatori; quello che abbiamo scoperto era tanto triste quanto sconvolgente, e ho aspettato il momento giusto per spiattellare tutto, ma è più dura di quanto credi – c'è la questione, innanzitutto, di chi fidarsi: anche se avessi voluto andare da Testa di cavolo a spifferare le cose che avevo appena scoperto, lui era già pronto con le valigie in mano, visibilmente turbato – ogni volta che arrivavo alla sua porta sembrava che avesse pianto o bevuto, o *fatto a botte*, e quello che diceva era a malapena coerente: aforismi lasciati a metà se era una giornata sì, litanie se era una giornata no, ma il più delle volte borbottava, lanciava un *Uuh-uuh* senza motivo, e mi squadrava come se mi stesse prendendo le misure per una breve seduta di aikido; mi sono accorto che tutti i suoi effetti personali erano spariti, la libreria vuota, le piante morte; l'unica cosa che restava sulla scrivania era un computer a schermo grande con un minuscolo portatile collegato in modo che qualsiasi cosa accadesse sullo schermo grande accadeva contemporaneamente su quello piccolo, e vedevo documenti aprirsi in duplice copia, ascoltavo i bip risuonare quasi in stereo, ma non si capiva a che pro tutto questo; il mio timore era che se riferivo tutto quello che sapevo a Testa di cavolo, lui non mi avrebbe creduto, cogliendo invece l'occasione per tornare nelle grazie di Gramo (continuiamo a chiamarlo

Gramo per adesso) licenziandomi in tronco, un'azione preventiva che sarebbe stata perfettamente legittima: ma se era difficile capire cosa fare, ogni giorno portava novità, altri tasselli del puzzle, e ho usato altri giorni di permesso per svolgere altre indagini, a volte insieme a Jules; alla fine sono stato costretto a passare all'azione quando, circa due mesi dopo che te n'eri andata, Gramo ha azzardato l'impresa più rischiosa – ha detto a Testa di cavolo di contattare un cacciatore di teste per *rimpiazzarlo*: esaurita finalmente la capacità di auto-avvilimento, Testa di cavolo la settimana dopo ha presentato le dimissioni ai californiani e il Corvo si è appollaiato, da solo, nell'ufficio lasciato vuoto, convocando Crease, Laars e Lizzie per interminabili riunioni intimidatorie, singolarmente o tutti insieme, e quando uno di loro si è domandato a voce alta (in modo innocente? no?) perché *io* non c'ero, il Corvo è rimasto disorientato – *chi è Jonah?* – poi, mormorando che secondo lui ero stato licenziato mesi prima, ha preso il telefono davanti a tutti e ha chiamato il mio interno, in segreteria ho trovato la sua rabbia: dovevo incontrarlo alle nove in punto del mattino dopo, il tono lasciava intendere una strigliata fatale; eravamo prossimi alla resa dei conti, tanto che non mi sono neanche preso la briga di strisciare il tesserino all'uscita, respirando profondamente mentre l'ascensore saliva lentamente verso di me, ho scrutato il lettore e mi sono domandato, *E se...* poi l'ho staccato delicatamente dal muro, era leggero come un pacchetto di fazzoletti, e in ascensore (*questo* ascensore!) ho visto che *nella scatola non c'era niente*, neanche un cavetto, solo qualche centimetro cubo d'aria, e mi sono meravigliato della mentalità sadica che si nascondeva dietro quella procedura (so che Gramo aveva cominciato a spargere la voce che il tesserino elettronico era un'idea di Testa di cavolo, ma sapevamo tutti che non era vero): da mesi eravamo angosciati per l'orario, inserivamo un tesserino in una fessura in modo che i californiani potessero controllarci, e poi salta fuori che stavamo strisciando il tesserino tanto per farlo, e quell'aggeggio non aveva mai registrato un bel niente – poi l'ascensore si è aperto ed ero libero: tornando a casa ho buttato la camicia da custode, mi sono fatto radere barba e baffi da un barbiere nella stazione della metro e ho comprato un paio di scarpe nuove, dei vestiti, un'acqua di colonia forte e una confezione di lenti a contatto, così al colloquio con Gramo il giorno dopo avrei avuto il vantaggio della sorpresa – si sarebbe chiesto se mi aveva già visto prima; mentre parlava, distrattamente, del disastroso lavoro che Testa di cavolo aveva svolto in tutti questi anni, e della nuova era che stava per aprirsi, ho colto un cambiamento nei suoi pensieri: anche se non aveva mai parlato con me da lucido (avevamo fatto una mezza dozzina di festini alcolici fino a tarda notte), avevo qualcosa che gli sembrava familiare, e ha capito che non solo mi ero spacciato per quel che non ero, ma avevo anche individuato il suo segreto; dopo che il colloquio si è concluso con un nulla di fatto (libera di non crederci, mi ha salutato dicendo: *Tienimi informato!*), sono tornato di corsa alla mia scrivania per chiamare Lizzie: *Non dire niente*, l'ho avvertita, *fa' finta che sono un amico, fa' finta che sono Pru, che ti chiama da Sharmila Pré-maman per fare due chiacchiere*, e le ho chiesto se poteva mandarmi subito, con la massima discrezione, un'e-mail con gli estremi per contattare uno qualunque dei californiani, quello con cui Testa di cavolo parlava più spesso – le avrei spiegato tutto più tardi, a lei, a Laars e a Crease; mentre componevo il numero il cuore andava a mille; il mio californiano ha risposto al telefono – guarda caso, era in riunione con gli altri, così mi hanno messo in vivavoce e hanno ascoltato, rapiti, mentre gli esponevo la versione stringata di quello che secondo me stava succedendo con Gramo/Graham/Benny, e quando ho finito sono ammutoliti – si sarebbe sentita volare una mosca tra me e loro, si sarebbe sentito battere un ciglio in Nebraska – poi i californiani hanno confermato quello che avevo scoperto: *Loro non avevano mai assunto un CRO*, non era nel loro stile, avevano ancora in programma di venire a New York per licenziarci tutti in tronco di persona (risate) – e mentre il riso soffocato svaniva ho avuto la brutta sensazione che il Corvo stesse venendo a prendermi, così sono scappato a gambe levate dalla scala posteriore e nel giro di due ore, miracolosamente, ero in volo per incontrarmi a metà strada con i californiani, in un luogo prestabilito: Bozeman, in Montana, dove ci siamo riuniti in una saletta riservata vicino al terminal nord-ovest, sorseggiando uno Shiraz che aveva il bouquet di una scarpa costosa e mangiando teneri sandwich al prosciutto di cervo, con il succo che ci colava dal mento, mentre gli raccontavo tutto quello che io e Jules avevamo scoperto sull'uomo che non era *Gramo* né *Graham* e neppure qualcuno che assomigliasse anche solo vagamente a Gordon Graham Knott (presidente della GGK Restructuring) – un nome che, in ogni caso, ai californiani non diceva niente, almeno all'inizio – ma il fantasma di un fantasma, qualcuno con lo strano nome di Benedetto Coletti, 42 anni, ex consulente manageriale di medio livello che era stato *licenziato* da un consulente, venuto da un'altra ditta – un'esperienza che doveva averlo fatto sentire come se fosse incastrato in una striscia di Möbius, o guardare in uno specchio e vedersi un coltello piantato nella schiena, con una mano molto simile alla propria che teneva il manico: quel giorno, tre anni fa, quando perse il posto, fu toccato un nervo scoperto, anzi, l'intero sistema nervoso, e Coletti scoppiò, piantò moglie e figli in New Jersey e non tornò più, vagando per le strade in stato confusionale finché ripetuti tentativi di tuffarsi in varie fontane della città lo portarono a una degenza al Bellevue (dove lo immagino mormorare CRO, CRO, CRO, all'infinito), e appena ho scovato l'azienda per cui lavorava, una piccola impresa di Manhattan che non esiste più, ci sono voluti pochi minuti di ricerche in rete per scoprire che era stato il vero Gordon Knott, un CRO dai capelli d'argento (che vive al Greenwich Village contento e soddisfatto), a sventrare l'ex ditta di Benny con metodi ingegnosi, *rivoltandola come un calzino* fino a ridurla sul lastrico, sbarazzandosi di tutto il team di Benny (un anno dopo, andato via Knott, l'azienda era improvvisamente sparita del tutto); dopo Bellevue, Benny – o Gramo, o come cazzo vuoi chiamarlo – essenzialmente ha vissuto in strada, nel suo SUV, evitando la famiglia, dando fondo ai risparmi, finché non ha deciso di infiltrarsi nel nostro ufficio, inventandosi un accento, facendo la parte del cattivo, del CRO che aveva *cancellato* la sua vita precedente – l'idea di partenza, secondo me, era quella di far naufragare un'azienda in modo così disastroso da infangare il nome del *vero* Gordon Knott, anche se in verità penso che semplicemente godesse come un porco per il potere distruttivo che aveva scoperto di possedere: dopo aver fatto amicizia con quel cristiano rinato del custode, fingendo di essere in crisi mistica, il ribattezzato *Gramo* si è insediato con disinvoltura nel deserto del sesto piano, poi per un breve periodo al quinto, e alla fine al quarto, ingraziandosi tutti come l'affabile "Gramo" dal capello floscio; ha convinto facilmente il reparto informatico a installargli tutta l'attrezzatura necessaria per telefono e computer, account e password; ha preso che il personale eseguisse i suoi ordini; ha maltrattato Maxine; ha impartito direttive sempre più stravaganti a Testa di cavolo (o, come mi sono ricordato di dire, *Russell*) e gli ha suggerito che presentando queste decisioni come farina del suo sacco avrebbe guadagnato l'approvazione dei californiani, e sarebbe stato in posizione di forza per destituire "K."; ha inventato dati falsi, che poi presentava a Testa di cavolo come pretesto per l'eliminazione dei dipendenti; ha importunato Lizzie con riflessioni scatologiche; è andato a letto (credo) con Maxine; ha portato "K." al collasso totale imponendole di fare cose come *Scrivi il programma che ti rende obsoleta*; ha accuratamente sbagliato l'ortografia di quasi ogni parola che scriveva – il mio racconto si è dipanato senza sosta, in parte basato su raffinate congetture, ma in gran parte dimostrabile; la somma, in ogni caso, è più grande delle singole parti, di modo che tre cose sono apparse subito chiare ai californiani: (1) c'era un criminale nell'ufficio di New York, che andava rimosso immediatamente e con meno chiasso possibile; (2) dato che conoscevo quasi tutto della situazione, sarei stato io a supervisionare la sua rimozione; (3) in caso di successo, sarei diventato immediatamente il nuovo responsabile operativo (il nuovo Testa di cavolo – o il nuovo Corvo?), alle dirette dipendenze dei californiani: tutto ciò mi ha fatto girare la testa, e appena uscito da lì mi è venuto un capogiro, sotto il cielo sconfinato della periferia con l'enorme luna disegnata lassù come se fosse di gesso e le stelle che cominciavano ad apparire; era tutto così confuso, perché avevo *odiato* i californiani, li avevo disprezzati con tutto il cuore, ma per il momento avevo bisogno di dividermi in compartimenti, accantonare quella rabbia – e così ho accettato, ho stretto qualche mano, ho ricevuto un sacco di pacche sulle spalle, e sono tornato in aereo per scatenare l'Operazione Corvo Caduto, la Missione Sradicare Gramo, La Questione "Maledetta": nel taxi dal La Guardia all'ufficio, ho chiamato la polizia e ho spiegato che nell'edificio c'era una persona non autorizzata, fornendo una descrizione inequivocabile, e quando il taxi è arrivato sul posto stava già partendo l'ultima volante, con il Corvo in trappola accasciato sul sedile di dietro, gli occhi chiusi, le ali tarpate; poi ho fatto una passeggiata senza meta, stordito da quel golpe incruento e dalla notte afosa, spostandomi a nord e poi a est e poi a ovest e poi a nord, a est e poi sud, a ovest e poi di nuovo a nord, come se girassi intorno a qualcosa che non c'era più, lasciandomi trasportare con la mente a una tiepida serata della primavera scorsa, la fine di una giornata faticosa, colma di allergeni e timori, una giornata in cui qualcuno era stato licenziato (è terribile ma non mi viene in mente chi, di preciso: *siete tutti intercambiabili*): la situazione esigeva che noi sopravvissuti uscissimo a prendere un aperitivo, per analizzare le torbide dinamiche del fatto, la solita futile analisi, e il discorso era scivolato su altri argomenti, il guardaroba di Maxine (specificamente: portava un tanga?), la vita sessuale di Testa di cavolo, addirittura una squadra di softball; e troppi bicchieri dopo ti ho accompagnata alla fermata della metro anche se non era la stessa che prendevo io – mi sono inventato la storia che avevo appuntamento con un amico, anche se ovviamente *non ho amici* – e mentre aspettavamo di attraversare la strada è arrivato un fruscio sommesso: il suono di migliaia di batuffoli bianchi, quelli che riempiono la città per quasi due settimane, e adesso un intero stuolo rotolava sul marciapiede sulla scia dei radiotaxi e di un autobus urbano, un tappeto che si muoveva in un'unica direzione, come la coda di un'immensa creatura il cui corpo si era già dissolto nella notte, trascinandosi dietro parti delicate di scheletro che avrebbe riassemblato in un'altra dimensione, e mentre la luce cambiava i pollini continuavano l'avanzata, le loro file scompaginate dal traffico sulla Terza Avenue, spedite a mulinare per aria, e quella, Pru, *quella* è stata la sera in cui sono cominciate le mie vertigini, il mio inconsolabile capogiro, perché mentre attraversavamo mi hai sfiorato il braccio e hai indicato il cielo e senza una parola abbiamo guardato altri cento batuffoli cadere, da un punto lontano nella volta buia della notte, come coriandoli in una parata che commemora il Lavoratore Ignoto, con i pollini che se la prendevano comoda e vagavano nell'aria, e quando ho riportato gli occhi al livello della strada tutto il mondo era di gomma; le auto si piegavano come caramelle mou, il terreno sotto i miei piedi oscillava come un passerella, le luci del traffico vacillavano e sbiadivano, persino l'architettura sembrava espandersi e contrarsi al tempo stesso, e tu avevi dimenticato che le tue dita erano ancora strette al mio braccio; spero che, adesso che te l'ho detto, adesso che finalmente ho confessato tutto, io riesca guarire, ma invece quello che sento è un ronzio nervoso che mi arriva da sotto i polsi surriscaldati, un rumore che conosco bene: significa che la batteria di questo computer di merda sta per morire – mi sono rimasti trecento secondi a partire da adesso! – *si parte!* – e così premo Control-S ancora una volta, per salvare quest'ultimo passo di prosa immortale – mi sento così strano adesso, come se mi fosse stata scoperchiata la testa, o forse è stata scoperchiata ore fa e me ne accorgo solo ora; e adesso una nebbiolina finissima mi copre la faccia e le mani, e non so se è una voce quella che sento in lontananza attraverso l'apertura sul tetto o un rantolo, come se all'Innominabile fossero spuntate le ali e stesse volteggiando da qualche parte sopra di me, mio inatteso angelo custode, che forse arriverà a tirarmi su – OK, ho appena provato ad alzarmi e afferrare qualcosa sopra di me ma non credo di essere abbastanza alto, oppure le sue braccia non sono abbastanza lunghe – evidentemente sto perdendo la testa – e tornare seduto giù mi ha improvvisamente reso molto, molto stanco – e forse il computer si è già spento del tutto, ma continuerò a scrivere lo stesso, perché sto un po' battendo la fiacca qui dentro, e tra pochi secondi salverò tutto un'ultima volta, chiuderò definitivamente questo computer di merda e mi ci sdraierò sopra per proteggerlo dagli spruzzi leggeri ma continui di quella che spero sia solo acqua, magari ci appiccicherò sopra un Post-it che dice PER FAVORE STAMPATELO PER PRU! casomai non riuscissi a uscire da qui – ma come faccio a essere sicuro che la mia calligrafia non sarà completamente illeggibile? – oh! *oh!* – mi è appena venuta in mente un'idea geniale: *Posso spedirtelo via mail*, anche se non vedo lo schermo, perché (a) il wireless di questo edificio, che scrocchiamo all'agenzia pubblicitaria del settimo piano, probabilmente funziona ancora, e (b) Glottis capisce i comandi parlati, a patto che siano ben articolati, perciò quando ho finito di scrivere premerò il tasto funzione per aprire Glottis, metterò la bocca a cinque centimetri dal microfono e dirò, con la mia voce più chiara, *Seleziona tutto*, *Copia*, e poi *Nuovo messaggio di posta elettronica* e *A Pru chiocciola Sharmila punto com*, *Incolla* e infine *Invia* – lasciando due secondi tra un comando e l'altro, come dice il manuale – e l'idea che tu riceva presto questo messaggio, prima di domani – che ci sia una possibilità che tu lo legga *stasera*, magari prima che mi liberino (*se* mi liberano) – è incredibilmente confortante: l'aria sta diventando irrespirabile ormai, sa di uova e ammoniaca e benzina, perciò è meglio che mi sbrighi a concludere e – *Mi dispiace*, Pru, scusa se non sono riuscito a dire tutto quello che volevo, stasera, ma in verità si trattava di immaginare tanto che stessi dicendo qualcosa a te quanto che stessi dicendo effettivamente qualcosa: tu stessa hai detto, una volta, aspettando un documento dalla stampante asmatica, che l'ufficio produce almeno un libro, no, un *romanzo* al giorno, sotto forma di corrispondenza, promemoria e relazioni, e una montagna di cifre, centinaia di frasi, migliaia di parole, *ma nessuno ha l'intelligenza per capirlo*, nessuno ha gli occhi per notarlo, tutta questa epica potenziale, un *Guerra e pace* sepolto tra le righe; perciò pensa semplicemente a questa lettera come se fosse un romanzo di questo genere, un libro di questo genere, rabberciato con i dati che avevo a portata di mano, confido che alla peggio ignorerai l'avviso NUOVO MESSAGGIO DI POSTA ELETTRONICA che lampeggia importuno sullo schermo, ma almeno ne sarai consapevole, mentre ti siedi alla scrivania o al tavolo da lavoro con la macchina da cucire, laggiù alla Sharmila Prémaman, e a poco a poco il messaggio non letto occuperà i tuoi pensieri, e la curiosità avrà la meglio, mentre ti chiedi che altro mai avrò da dirti dopo tutto questo tempo, e perché rimango – con amicizia – tuo JONAH

Ringraziamenti

Sono grato a Maureen Howard e James Browning, per anni di incoraggiamento; a mia sorella dall'occhio vigile, Aileen Park; a Jenny Davidson e Eugene Cho, apprezzati consulenti per la strutturazione e la ristrutturazione di questo progetto; a Julia Cheiffetz e P.J. Mark e a Julia di nuovo. Vorrei salutare tutta la redazione di «The Believer», il Team Dizzies e la Poetry Foundation; gli amici dai tempi del «Voice», in special modo Dennis Lim, costante interlocutore; Ros Porter, Alex Bowler e Jynne Martin; i primi lettori e ascoltatori, tra cui Benjamin Strong, Nicole Bond, Rachel Aviv e Aimee Kelley. Molte grazie a mio padre e mia madre e al delizioso Duncan, agli amici che aspettano da una vita, a tutti i miei parenti sulle due coste degli Stati Uniti e di altri continenti.

Questo libro è dedicato con tutto il mio amore a mia moglie Sandra, non solo la bellezza ma anche il cervello di tutta l'operazione.

Finito di stampare
nel mese di agosto 2008
dalla tipografia Graffiti srl
Via Catania, 8 Pavona (Albano - Roma)
per conto di
Fazi Editore